간호대학생을 위한
쉬운 일러스트
해부생리학

인체의 신비
Q&A ¹

編著 **山田晃司**(Yamada Koji) | 옮긴이 **문미선** 외

군자출판사

간호대학생을 위한 쉬운 일러스트

해부생리학 — 인체의 신비 Q&A 1

첫째판 인쇄 2016년 2월 03일
첫째판 발행 2016년 2월 16일

編著(편저) 山田晃司(Yamada Koji)
옮 긴 이 문미선 외
발 행 인 장주연
출 판 기 획 군자출판사
내지디자인 이슬희
표지디자인 김재욱
발 행 처 군자출판사
　　　　　등록 제4-139호(1991.6.24)
　　　　　본사 (110-717) **파주출판단지** 경기도 파주시 회동길 338(서패동 474-1)
　　　　　전화 (031) 943-1888　팩스 (031) 955-9545
　　　　　홈페이지 | www.koonja.co.kr

KAIBÔ SEIRI GA YOKU WAKARU-KARADA NO FUSHIGI Q&A 1
written and edited by Koji YAMADA
Copyright © 2011 by Shorinsha, Inc.
Korean translation rights arranged with Shorinsha, Inc.
through Japan Foreign-Rights Centre/ Shinwon Agency Co.

· 파본은 교환하여 드립니다.
· 검인은 저자와 합의 하에 생략합니다.

ISBN 979-11-5955-003-4(1권)

정가 17,500원

옮긴이소개

경남정보대학교 간호학과	강은희 교수
경운대학교 간호대학	조남희 교수
구미대학교 간호학과	서은주 교수
대구보건대학교 간호학과	서영숙 교수
부산대학교 간호대학	김동희 교수
선린대학교 간호학과	이영미 교수
수성대학교 간호학과	양혜주 교수
중앙대학교 적십자간호대학	조용애 교수
진주보건대학교 간호학과	이해랑 교수
진주보건대학교 간호학과	김은재 교수
춘해보건대학교 간호학과	문미선 교수
춘해보건대학교 간호학과	김요나 교수

인체의 변화는 어떻게 일어나는 것일까 ?
인체의 신비를 해부(구조)와 생리(기능)로써 생각해 보자.

간호학을 배우기 위해 처음 받은 수업이 해부생리학이다. 해부학은 인체의 구조를, 생리학은 인체의 기능을 배우는데 외워야할 것이 많아서 무진장 고생했다. 의료를 배우기 위해 처음 배우고 재미 있다고 느낀 것도 해부생리학이지만 처음 좌절을 맛 본 과목도 이 해부생리학이다. 여기에서 공부를 게을리 하게 되면 그 다음에 기다리고 있는 전문 과목이 점점 어려워진다.

해부생리학 수업을 받으면 우선 자신의 인체이나 가족의 병으로 입장을 바꿔서 생각할 때가 많을 것이다. 그래서 강의가 끝나면 질문을 하기 위해 쉬는 시간인데도 불구하고 교탁 주변에 학생들이 자주 모인다. 「전, 이러이러한데 괜찮을까요?」「집에 어머님이……」등등. 그때마다 간단한 설명을 하지만 시간도 한정되어 있어서 충분한 대답을 하는 것은 어렵다. 또, 강의가 진행됨에 따라 인체에 대한 것을 알게되니 재미를 느껴 전문서적을 읽어보고 싶은 마음이 생기지만 아뿔사, 까다로운 내용이 너무 많아서 금방 질려버릴 것이다.

그래서 먼저 신변에 관한 화제를 시작으로 하여 해부생리학이 좋아지도록 간단하면서도 일러스트를 충분히 사용하여 이 특집호를 내놓기에 이르렀다. 실제로 지금까지 학생에게 질문을 받은 것이나 독자의 질문, 새롭게 자신의 인체에서 이상하다고 생각한 것이 있는가, 란 설문조사에서 얻은 것을 기초로 분야별로 구성하였다.

간호대학생은 여자가 많은 것도 있어서 손톱, 머리카락, 체모, 피부 등 미용에 관심이 많거나, 피부 분야나 좀체 다른 사람에게는 물어볼 수 없는 여성생식기계 등으로 조금 치우친 경향이 있지만 분명 독자인 여러분도 지금까지 이와 같은 의문을 갖고 있지 않았을까 추측해 보았다. 또, 해부생리학의 영역을 좀 초월한 것이나 아직까지 밝혀지지 않은 것도 다수 있으니 그것들도 참고하기 바란다.

또, 학년이 올라가 임상 실습에 나간 후에 「다시 한 번 해부생리학 강의를 듣고 싶다」는 말도 자주 듣는다. 분명 이것도 임상 현장에 나가서 모르는 것이 잔뜩 나오고 공부를 해나가는 과정 중에 「이거 해부생리학 교과서에 실려 있었는데?」 하는 상황이 오기 때문이라고 생각한다. 실습 중인 학생들은 잠시 숨을 돌리고서라도 본서를 정독하면 좋을 것이다. 또, 해부생리 교과서가 아무래도 고충이라는 학생도 우선은 본서를 활용하면서 흥미를 갖고 공부에 정진했으면 하는 바이다.

2011년 4월

저자 대표
야마다 코지(山田晃司)

간호대학생을 위한 쉬운 일러스트 **해부생리학**

인체의 신비
Q&A ①

CONTENTS

집필자 일람

山田晃司 藤田保健衛生大学医療科学部
リハビリテーション学科准教授
担当項目 呼吸器／皮膚／内分泌／生殖器／加齢／免疫／その他

酒井一由 藤田保健衛生大学医療科学部
臨床工学科准教授
担当項目 脳・神経／感覚器

市野直浩 藤田保健衛生大学医療科学部
臨床検査学科講師
担当項目 消化器／循環器／体温

西井一宏 藤田保健衛生大学医療科学部
リハビリテーション学科講師
担当項目 泌尿器／骨格筋

PART ❺ 피부

PART ❻ 감각기

PART 1

호흡기

Q1 복식호흡과 흉식호흡은 뭐가 어떻게 다른가?

A 갈비사이근을 사용해 가슴우리를 움직여 호흡운동을 하는 것을 흉식호흡이라 하고, 복부의 운동에 의해 가로막을 움직여 호흡운동을 하는 것을 복식호흡이라 한다.

인체 외부의 공기를 폐에 넣거나 배출하는 것을 호흡이라고 한다. 호흡을 하기 위해서는 폐를 확장시키거나 수축시킬 필요가 있다. 폐 자체에는 근육이 없기 때문에 폐를 확장하는 방법은 폐를 둘러싸고 있는 바구니 모양의 가슴우리를 주변 근육의 도움을 빌려 넓히는 것이다(**그림 1**). 폐는 흉벽 안쪽을 둘러싼 벽쪽가슴막과 폐를 감싸는 내장쪽가슴막이라는 두 개의 막으

로 둘러싸여 있고, 두 막 사이는 음압이어서 가슴우리나 가로막의 움직임에 의해 폐의 확장과 수축을 할 수 있다. 숨을 들이 마시는 운동에서는 가로막이 내려가고, 외갈비사이근의 수축에 의해 가슴우리가 넓어지면 흉강내의 용적이 커진다. 그러므로 폐가 확장되고 공기가 폐 내부로 유입된다. 숨을 내쉬는 운동에서는 내갈비사이근이 수축함에 따라 가슴우리가 작아지고, 또 배근육의 수축에 따라 가로막이 올라가면 흉강내의 용적이 작아진다. 확장된 폐 자체도 축소하려고 하기 때문에 폐가 수축하고 공기가 밖으로 배출된다.

호흡의 방법에는 크게 두 종류가 있다. 갈비사이근을 사용해 가슴우리를 움직여 호흡하는 것을「흉식호흡」이라 하고, 복부의 운동에 의해 가로막을 움직여 호흡하는 것을「복식호흡」이라 한다.

노래를 부를 때는 복식호흡이 좋다고 알려져 있다. 흉식호흡은 호흡이 얕고 폐 위쪽을 사용해서 숨을 들이 마시기 때문에 가슴이나 목, 어깨에 쓸 데 없는 힘이 들어가고 목소리가 잘 나오지 않는다. 흉식호흡으로 가슴우리를 움직이면 목 주변의 근육에 쓸데없는 긴장이 생기고 날숨이 지속되는 것을 흐뜨려 놓아 목소리가 잘 나오지 않게 된다. 복식호흡은 한 번에 보다 많은 공기를 들이 마실 수 있기 때문에 숨이 길어서 숨을 쉬지 않고 계속 노래를 부를 수 있다. 이것이 성량이다. 일반적으로 여성에게는 흉식호흡이 많고 남성에게 복식호흡이 많지만 실제로는 양쪽 모두를 사용하는 흉복식호흡이다. 복식호흡이 부교감신경을 활성화시키고 정신 안정, 혈압상승억제, 뇌를 활성화 시키는 등 효과가 높다고 알려져 있다.

그림 1 들숨근육과 날숨근육의 작용

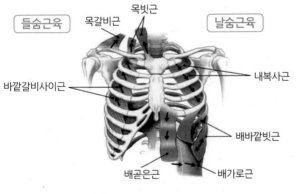

들숨근육　목갈비근　목빗근　날숨근육
바깥갈비사이근　내복사근
배바깥빗근
배곧은근　배가로근

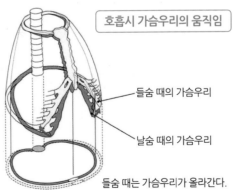

호흡시 가슴우리의 움직임

들숨 때의 가슴우리
날숨 때의 가슴우리
들숨 때는 가슴우리가 올라간다.

 용어 벽쪽가슴막(벽쪽흉막, parietal pleura), 내장쪽가슴막(장측흉막, visceral pleura), 들숨근육(흡식근, inspiratory muscle), 날숨근육(호식근, expiratory muscle), 목빗근(흉쇄유돌근, sternocleidomastoid muscle), 목갈비근(사각근, scalene), 바깥갈비사이근(외늑간근, external intercostal muscle), 속갈비사이근(내늑간근, internal intercostal muscle), 배바깥빗근(외복사근, external oblique abdominal muscle), 배곧은근(복직근, rectus abdominis muscle), 배가로근(복횡근, musculus transversus abdominis), 가슴우리(흉곽, thoracic cage)

Q2 심호흡을 하면 왜 기분이 안정되는 것일까?

A 긴장하고 있을 때의 얕고 빠른 호흡을 의식적으로 안정되어 있을 때처럼 깊고 차분한 호흡으로 바꾸면 그것이 계기가 되어 전신이 느긋해지기 때문이다.

사람은 긴장되는 상황에 놓이면 무의식중에 호흡수가 많아지고 체내의 이산화탄소를 인체 밖으로 필요 이상 배출한다. 그러면 뇌가 불안감에 빠지거나 호흡곤란을 느낀다. 이때 복식호흡으로 크게 천천히 심호흡을 하면 이산화탄소양이 정상으로 돌아오고 정신적으로 차분해지는 것이다(그림 1).

또, 심호흡은 호흡에 따르는 에너지와 산소소비량이 적다는 점도 있다. 보통의 호흡은 갈비사이근을 사용해 가슴우리를 넓히는 흉식호흡을 한다. 이것은 복식호흡이 유연한 가로막을 사용하는데 비해 산소를 많이 소비한다. 복식호흡을 이용한 심호흡은 산소의 소비가 적어서 쉽게 피로하지 않고 동시에 피로회복도 빠르다.

사람은 긴장된 상태를 풀기 위해 심호흡을 한다. 초조할 때의 호흡은 얕고 빠르다. 심호흡을 하면 안정시의 깊고 차분한 호흡으로 바뀌고, 자율신경인 교감신경의 움직임이 서서히 억제되는 대신에 부교감신경의 움직임이 점차 촉진된다.

원래 교감신경과 부교감신경은 「낮」과 「밤」 같이 상반되는 것(길항작용)이 특징이다. 예를 들면 혈압을 올리는 것은 교감신경이고 내리는 것은 부교감신경의 일이다. 호흡의 경우는 교감신경이 호흡을 촉진시키고 부교감신경이 그것을 억제시킨다. 그러나 호흡은 자율신경의 지배하에 있으면서도 자신의 의사에 따라 조절할 수 있다. 즉 호흡방법을 의식적으로 바꿈으로 자율신경을 지배하게 된다.

그림 1 호흡운동조절의 기제

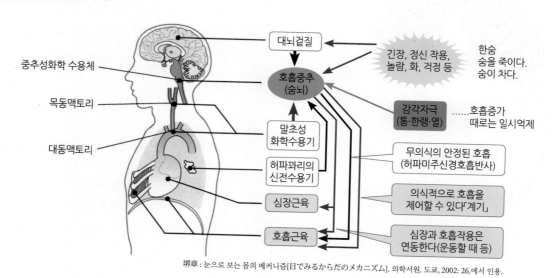

堺章 : 눈으로 보는 몸의 메커니즘[目でみるからだのメカニズム]. 의학서원. 도쿄, 2002: 26.에서 인용.

용어 목동맥토리(경동맥소체, carotid body), 대동맥토리(대동맥소체, aortic body), 대뇌겉질(대뇌피질, cerebral cortex), 숨뇌(연수, medulla oblongata), 호흡중추(respiratory center), 폐미주신경호흡반사(Hering Breuer reflex), 심장근육(심근, myocardium), 호흡근육(호흡근, respiratory muscle)

Q3 한 번의 호흡으로 어느 정도의 산소를 체내에 들여보낼 수 있는가?

A 안정 시에 보통으로 호흡했을 때 들이 마신 숨(흡기)과 내뱉은 숨(호기)의 양을 일회호흡량(tidal volume)이라 하고, 성인 남성이 500mL 정도이다.

공기는 흡입되면 코 안, 인두, 기관, 기관지를 통해 폐 속으로 들어가고 또 갈라지면서 세분화되어 진행한다. 마지막으로 「허파꽈리」라고 해서 작고 둥근 포도 송이 같은 곳으로 들어가서 끝난다. 그곳에서는 모세혈관이 에워싸고 있어서 산소와 이산화탄소를 교환한다(그림 1).

허파꽈리는 5억 개 정도 있는데 모든 허파꽈리를 넓히면 테니스 코트 하나 정도의 면적이 된다고 알려져 있다(60~80m²).

테니스 코트 (싱글)반 면이 한쪽 폐정도이다. 허파꽈리는 체표면적의 약 50배나 되고 그곳에 감겨있는 모세혈관을 연결하면 그 길이가 도쿄에서 오사카(500km 이상)정도 된다고 한다. 이것은 들숨 후 일순간에 산소를 체내에 받아들이지 않으면 안 되기 때문에 환기효율을 높이기 위한 구조이다. 즉, 성인남성 약 500mL, 성인여성 350mL가 순식간에 테니스 코트 한 면만큼 확산된다는 얘기다. 어쨌든 엄청난 놈이 인체 안에 들어있다는 것은 틀림없는 것 같다.

그림 1 폐포와 모세혈관

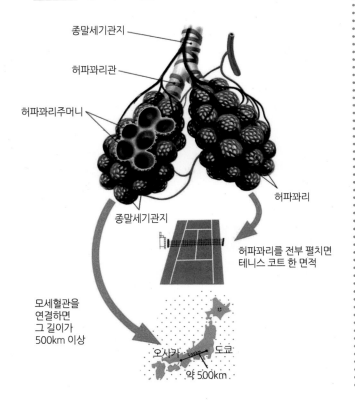

종말세기관지

허파꽈리관

허파꽈리주머니

종말세기관지

허파꽈리

허파꽈리를 전부 펼치면 테니스 코트 한 면적

모세혈관을 연결하면 그 길이가 500km 이상

오사카　도쿄

약 500km

Column

담배이야기

담배연기 속에는 니코틴, 타르, 일산화탄소, 시안화수소 등 많은 유해물질이 포함되어 있다. 일산화탄소는 산소의 약 210배의 결합능력으로 헤모글로빈과 결합한다. 폐 속에 일산화탄소의 비율이 높은 공기가 들어가면 헤모글로빈의 산소운반 능력은 저하된다.

담배를 피우는 사람은 일산화탄소의 영향으로 산소의 공급이 방해를 받는다. 예를 들면 하루에 20개 정도의 담배를 피우는 사람은 담배를 피우지 않을 때도 일산화탄소와 결합한 혈액 속의 헤모글로빈이 3~6%의 비율이다. 게다가 흡연 직후에는 10%를 넘는다고 한다. 담배가 인체에 얼마나 유해한지는 알 수 있을 것이다. 그리고, 담배에는 여러 가지 자극성 물질이 포함되어 있어서 그것이 인체속에 들어가면 반사적으로 기관지가 좁아져서 충분한 산소를 받아들일 수 없게 된다.

용어) 허파꽈리(폐포, alveolar), 종말세기관지(terminal bronchiole), 허파꽈리관(폐포관, alveolar duct), 허파꽈리주머니(폐포낭, alveolar sac)

Q4 인두와 후두라는 두 "목"의 차이점은?

A 인두는 음식물과 공기 모두 통과하지만 후두는 공기만 통과하는 기도의 일부이다.

음식물을 먹은 경우 입 안에서 인두, 그리고 식도를 통해 위에 도달한다.

그러면 코로 흡입된 공기는 어떨까? 공기는 코 안에서 인두, 그리고 후두와 기관을 통해 폐로 보내진다.

즉 인두는 음식물이나 공기 모두 지나가지만 후두는 공기만 지나간다. 해부학적인 분류에서도 인두는 소화기계와 호흡기계 양쪽에 속하지만 후두는 인두에 이어지는 기도의 일부이기 때문에 호흡기계에만 속한다. 장소적으로는 인두는 입안이고 후두는 인두와 기관 사이에 위치한다.

인두나 후두 모두 지나가는 길이지만 후두에는 목소리를 내는 성대가 있다. 성대의 구조는 **그림 1**과 같아서 한가운데에 성문이라는 틈이 있는데 인두근에 의해 이 틈이 열리고 닫힌다. 기관 내의 공기가 기세 좋게 성문을 빠져 나갔을 때 좌우의 성대주름을 진동시켜 소리를 낸다. 그렇기 때문에 목소리를 내면서 숨을 들이쉴 수 없다(Q14 참조). 덧붙여서 「목」을 한자로 쓰면 「후(喉)」인데 「뭔가가 목에 걸렸다」고 하는 경우 실제로 걸린 곳은 「후」두가 아니고 「인」두 쪽이 많다.

그림 1 **인두와 후두**

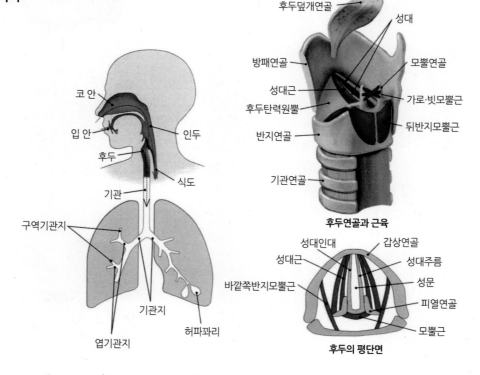

후두연골과 근육

후두의 평단면

Q5 「딸꾹질」은 왜 나오는 걸까?

A 딸꾹질은 가로막의 경련이다. 원인은 명확하지 않지만 음식물이나 마실 것을 삼킴과 동시에 숨을 들이쉬는 동작을 한 경우 일어난다.

사람의 인체은 가로막에 의해 가슴 부분인 「흉강」과 배 부분인 「복강」으로 나뉘어진다. 가로막은 호흡을 할 때 가장 중요한 근육이다. 딸꾹질은 가로막의 바로 밑에 있는 위에 음식물이 갑자기 들어와서 확장되거나 음식물이나 마실 것을 삼킴과 동시에 숨을 들이쉬는 동작을 한 것이 계기가 되어 일어난다. 가로막은 가로막 신경에 의해 조절되는데 예상치 않은 자극에 의해 오작동을 일으킨다. 가로막이 몇 초간의 간격을 두고 경련하면 흉강내압이 저하하고 동시에 흡입된 공기가 갑자기 닫힌 성문을 진동시켜 「딸꾹!」하고 소리를 낸다 (**그림 1**). 성문은 들숨 때에 성대가 느슨해지는 공간으로 공기의 통로이다.

만화 등에서 딸꾹질이 술 취했을 때의 상징이 된 것은 술(알콜)이 자극물이 되어 신경을 자극하여 딸꾹질이 일어났기 때문이다.

딸꾹질을 멈추는 방법으로써 「놀래킨다」「숨을 참는다」 등 여러 가지가 있는데 이러한 행위는 가로막이나 그 주변의 근육을 수축시키고, 연동시켜서 경련을 억제하는 것이라고 보면 된다. 「물을 숨을 쉬지 않고 한번에 마신다」「밥을 통째로 삼킨다」 등은 소화관을 통해 내측에서 가로막을 자극해 억제하는 것이다. 어느 쪽이나 몇 분 동안은 대처하는 데에 효과가 있지만 확실한 방법은 아니다.

딸꾹질은 전문적으로는 흘역증이라 하는데 오랫동안 지속되면 난치성흘역증이라 한다. 뇌나 호흡기, 소화기의 병이나 부작용 등이 원인이 되어 일어나는 경우도 있으니 빈번하게 일어나는 사람은 의사에게 진찰 받아보기를 권한다.

그림 1 딸꾹질과 가로막

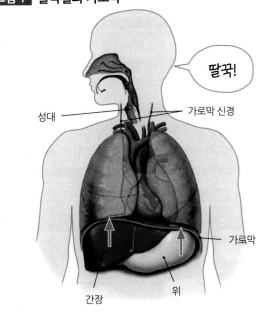

딸꾹!

성대 / 가로막 신경 / 가로막 / 간장 / 위

딸꾹질의 원인은 가로막의 경련
딸꾹질의 「딸꾹」하는 소리는 성대가 긴장해서 좁아진 것으로 숨을 급하게 들이마시기 때문에 나온다.

용어 가로막(횡경막, diaphragma), 가로막 신경(횡격신경, phrenic nerve)

Q6 아버지의 「코골이」가 심한데 괜찮을까?

A 코골이의 원인이 상부호흡기도의 질환이거나 코를 고는 사이에 호흡이 멈추는 질환이 아니면 괜찮다.

「코골이」란 여러 가지 원인으로 상부호흡기도가 좁아져서 호흡을 했을 때 공기 저항이 커지는 것으로, 목 점막의 진동이 증가해서 일어나는 소리이다. 좁은 목에 억지로 공기를 보내려고 하면 코를 골게 되는 것이다. 원인은 여러 가지가 있지만 복수의 원인이 겹쳐서 코를 고는 경우가 많다.

상부호흡기도가 좁아지는 원인으로는 다음과 같은 것이 있다.

① 비만

비만에 의한 지방은 인체 밖에서 보이는 부분만이 아니고 인체 안쪽에도 붙어 있다. 목 주변이나 상부호흡기도 내측에도 붙어 있기 때문에 상부호흡기도도 좁아진다.

② 자세

천장을 보고 누워 자면 혀가 목으로 내려앉기가 쉽고 입 안 점막의 부드러운 부분이 중력으로 내려간다. 그래서 상부호흡기도가 막히고 좁아진다.

③ 음주

알콜에는 이완시키는 효과가 있어서 마시면 전신의 근육이 느슨해지기 때문에 상부호흡기도의 근육도 느슨해지고 좁아진다.

④ 노화

사람은 나이를 먹으면 서서히 전신 근육이 느슨해지는 경향이 있는데, 상부호흡기도의 근육도 함께 느슨해진다.

또, 코골이를 하는 사람 대부분은 「입호흡」을 한다. 평상시에는 코를 골지 않는 사람이라도 육체적 피로나 스트레스가 있을 때 인체가 수면 시에 보다 많은 산소를 들이 마시려고 하기 때문에, 평소 코호흡을 하던 사람도 입호흡을 동반하게 된다. 그리고 피곤해지면 상부호흡기도의 근육이 훨씬 느슨해지기 때문에 혀가 목에 내려앉게 되고 코를 고는 증상이 나타나기 쉽다.

코골이를 방지하고 해소하기 위해서는 코골이의 원인을 찾아내서 제거하는 게 기본이다.

또 코를 골 때 호흡이 멎는 소위 「무호흡※」이 일어난 경우, 수면시무호흡증후군(**그림 1**)이라고 생각할 수 있다. 이럴 경우 이비인후과에서 진찰을 받아볼 필요가 있다.

※ 「무호흡」이란 10초 이상의 호흡정지를 말하고 이 무호흡이 1시간에 5회 이상 또는 7시간의 수면 동안 30회 이상 나타나면 수면시무호흡증후군이라 한다.

그림 1 수면시무호흡증후군이 일어나는 구조

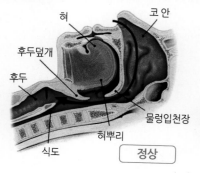

혀　코 안
후두덮개
후두
식도　혀뿌리　물렁입천장
[정상]

공기의 흐름
[설근침하]
혀도 근육이기 때문에 긴장이 풀리면 중력으로 밑으로 쳐진다.
[수면시무호흡증후군]

드르렁~
드르렁~

 후두덮개(후두개, epiglottis), 물렁입천장(연구개, soft palate), 혀뿌리(설근, lingual root)

Q7 왜 잠을 자면서 「이갈이」를 할까?

A 이갈이는 잠을 자고 있을 때만이 아니고 낮 동안에 깨어있을 때도 한다. 낮과 밤의 이갈이는 각각 다른 기전으로 일어난다.

「이갈이」의 원인 중 하나로 생각되는 것이 「스트레스(심리적인 원인)」이다. 걱정이나 불안, 우울한 기분을 이갈이라는 형태로 발산한다고 알려져 있다. 또 이의 부정교합이나 치열이 바르지 않은 것, 턱의 변위 등 「구체적인 원인」도 있다.

이갈이라 해도 빠드득빠드득·딱딱 이런 소리를 내는 것만이 아니고 이를 악무는 것처럼 소리가 나지 않는 것도 있다.

이갈이는 자고 있을 때만이 아니고 낮에 깨어있을 때도 한다. 낮에 일이나 공부에 집중하고 있을 때, 긴장하고 있을 때, 억울할 때 등 무의식적으로 이와 이를 악다물고 있다. 그것이 약한 힘일지라도 오랫동안 악다물고 있으면 머리 옆에 있는 관자근은 피로해지고 편두통이 일어나는 원인이 된다. 또, 밤에 자고 있을 때의 이갈이로는 「이를 부딪치는 이갈이」와 「이를 악다무는 이갈이」 두 가지가 있다. 이것은 중추신경계(뇌)에 원인이 있어서 일어나는 수면장해의 일종으로 얕은 잠일 때 (REM 수면)에 일어난다. 수면 중에는 대뇌겉질이 억제되어 깨무는 힘을 조절할 수 없기 때문에 아주 강한 힘이 턱의 근육을 움직여 이를 가는 것이다. 이갈이를 하룻밤에 2~3분 간 하는 사람도 있고 2시간 이상 지속하는 사람도 있다. 이를 악다물고 있을 때의 힘은 어금니로 약 70kg 정도이다. 덧붙여 말하면 식사 때의 깨무는 힘은 10kg 정도여서 매우 강한 힘이라고 할 수 있다.

이갈이가 심한 사람의 얼굴은 깨무는 근육(그림 1)이 발달되어 있기 때문에 "하관"이 튀어나오고 볼이 불룩해진다. 장시간 턱이나 머리의 근육이 깨무는 데

에 사용되기 때문에 어깨결림, 턱의 통증, 턱의 나른함, 눈의 통증, 편두통 등이 일어난다. 또 심할 경우 턱의 관절에 부담이 가서 턱관절증을 일으킬 수도 있다. 걱정이 되는 사람은 치과의사와 상담해 보는 것이 좋다.

그림 1 **씹기근육의 종류: 관자근, 교근, 외측익돌근, 내측익돌근의 운동**

턱관절운동	교근	관자근	외측익돌근	내측익돌근
거상	○	○		○
하제	주로 목뿔위근육이 일을 하고 씹기근육은 이완한다			
전진			○	○
후진		○		
좌우운동			○	○

松村讓兒 : 일러스트 해부학,中外의학사, 도쿄, 2008.을 원본으로 작성.

 관자근(측두근, musculus temporalis), 깨물근 (교근, masseter muscle), 가쪽날개근 (외측익돌근, lateral pterygoid muscle), 안쪽날개근(내측익돌근, medial pterygoid muscle), 얕은 부분(천부, Superficial part), 목뿔위근육(설골상근, Suprahyoid muscles), 씹기근육(저작근, masticatory muscle)

Q8 남성의 「결후」는 왜 돌출해 있는가?

A
남성의 상징인 낮은 목소리를 얻기 위해서이다.
목소리의 고저는 후두융기에 붙어있는 성대의 길이로 결정된다.

후두융기는 기관을 구성하는 연골조직의 하나인 갑상연골이 앞뒤로 튀어나와 커지면서 돌출하게 된 것이다(**그림 1**). 남자는 사춘기를 맞이하면 이 후두융기가 발달하게 된다. 이것은 「목소리의 변화」에 크게 관여하고 있다. 사춘기에는 남자나 여자 모두 방패연골의 발달을 볼 수 있다. 변성은 인체가 발육되기 때문에 일어나는 생리적인 현상인데 어린 아이의 목소리에서 어른의 목소리로 변하기 위한 「목소리의 전환」이다.

목소리를 내는 성대는 후두의 좌우에서 튀어 나온 두 개의 주름에서 만들어 진다. 후두 융기의 발달에 의해 성대가 길게 뻗으면 공기의 진동수가 줄어들고 목소리가 낮아진다. 현악기를 떠올려 보자. 현악기의 긴 현은 짧은 현보다 낮은 소리가 나고, 현의 당김이 강할수록 높은 소리가 난다. 성대가 떨리면서 소리가 나는 원리가 이와 같기 때문에 목소리의 높이도 성대의 길이와 당김 정도로 결정 된다. 따라서 목소리는 얼굴의 형태에도 관련되어 있다. 아주 똑같은 얼굴은 없으니 목소리도 사람에 따라 다르다.

그런데, 「여자도 변성이 되는가?」라는 질문을 받은 적이 있다. 여자도 사춘기에 연골이 상하로 발육되지만 성대의 길이가 그다지 변화되지 않기 때문에 목소리가 변한 것처럼 느끼지 못한다. 사실은 여자도 변성을 한다. 덧붙여 말하자면 성인의 성대길이는 남성이 20mm, 여성이 16mm 정도이다.

그림 1 후두의 각부명칭

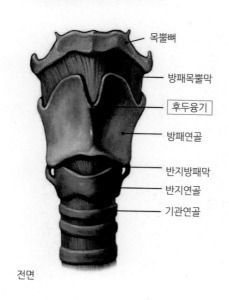

목뿔뼈
방패목뿔막
후두융기
방패연골
반지방패막
반지연골
기관연골

전면

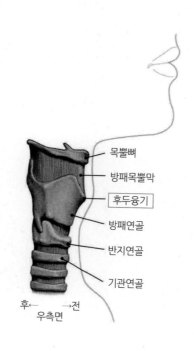

목뿔뼈
방패목뿔막
후두융기
방패연골
반지연골
기관연골

후← →전
우측면

 목뿔뼈(설골, hyoid bone), 방패목뿔막(갑상설골막, hyothyroid membrane), 후두융기(laryngeal prominence),
방패연골(갑상연골, thyroid cartilage), 반지방패막(윤상갑상막, cricothyroid membrane), 반지연골(윤상연골, cricoid cartilage),
기관연골(tracheal cartilages)

Q9 「하품」은 왜 나오는 걸까?

A 뇌에 공급되는 산소가 부족하거나 졸음을 해소하기 위한 것으로
생각할 수 있는데 실제로 하품이 일어나는 기전은 정확히는 알 수 없다.

하품은 졸린다거나 할 때 반사적으로 일어나는데, 입을 크게 벌리고 깊게 숨을 들이 마시는 호흡동작이다.

하품의 원인이라고 생각되는 것 중의 하나로 저산소상태가 있다. 「뇌의 움직임이 둔해진다」는 것에 뇌의 「산소공급부족」이 크게 관여하고 있다. 보통의 호흡보다 크게 심호흡을 하는 하품은 산소를 일시적이지만 대량으로 체내에 받아들일 수 있다. 그래서 필연적으로 뇌의 산소공급량도 증가하는 것이다. 교실 등 환기가 제대로 이루어지지 않은 방에 몇 시간이나 들어앉아 있으면 산소가 부족하게 된다. 또 점심밥을 먹은 후의 수업은 졸립다. 이것은 소화기관이 먹은 음식을 열심히 소화시키고 있기 때문에, 혈액 공급이 모두 소화기계에 집중되어 있고 뇌로 가는 혈류량이 감소해 뇌에 산소부족이 일어나기 때문이다.

그 밖에도 하품이 일어나는 원인이 있다. 자고 싶을 때에 하품이 나오는 것은 뇌에 자극을 주어서 졸음을 일시적으로 해소하기 위해서라고 알려져 있다. 입을 크게 벌리는 것으로 상하 턱을 연결하는 근육이 늘어나고 이 근육 속에 있는 감각수용기가 대뇌겉질의 움직임을 자극한다. 대뇌의 움직임이 활발해지는 것으로 의식이 확실해져서, 하품은 졸릴 때나 지루할 때 머리를 각성시키기 위한 반사작용이다. 이것은 껌을 씹으면 졸음이 없어지는 것과 같은 원리라고 할 수 있겠다.

또 하품은 옆 사람에게 옮긴다고 알려져 있다. 그러나 하품이 옮겨지는 원인은 알 수 없다. 하품은 동물이 무리 속에서 자는 시간을 서로에게 알리는 신호라는 설과 각인·조건반사라는 설이 있다. 다른 사람이 하품하는 것을 보면 반사적으로 하품을 하고 싶어 한다는 것이다. 하품이 그렇게 매력적인 것일까? 하품이 옮겨지기 쉬운 사람은 다른 사람에게 감정이입을 하기 쉬운 사람이라는 각인설을 지지하는 연구결과도 있다.

참고로 하품을 하면 눈물이 나는 것은 얼굴 근육이 움직이므로 눈물주머니를 누르기 때문이다. 재채기를 하면 눈물이 나는 것과 똑같다.

memo

Q10 눈이 부신 곳에 갑자기 나가면 「재채기」가 나는 것은 왜일까?

A 재채기는 삼차신경을 거쳐 가는 반사작용이다.
햇빛의 자극은 「눈」으로 들어가서
삼차 신경을 거쳐 코로 자극을 보완해 재채기를 일으킨다.

재채기는 코 등 상부호흡기도에 부착된 외부에서 오는 이물질을 격한 날숨과 함께 체외로 배출하려고 일으키는 호흡기의 반사적인 반응이다. 촉각은 피부에만 있는 것이 아니고 코 속에도 있다. 코 점막의 상피세포 사이나 상피 밑에는 감각신경종말이 풍부하게 분포해 있어서 상부호흡기도에 강한 자극이 들어오면 중추를 거쳐 반사적으로 재채기가 일어난다. 후추 등을 흡입했을 때는 이물이 붙었다는 물리적 자극뿐 아니라 후추 자체의 자극성물질에 의한 화학적자극도 원인이 된다.

또, 화분증같이 특정한 물질이 코 속에 침입해 왔을 때는 알레르기의 기제에 의해 면역반응으로써 재채기가 나올 수도 있다. 알러젠 (꽃가루 등)과 비만세포표면의 IgE가 결합하면 비만세포가 활성화되고 히스타민을 분비한다. 히스타민은 코 점막에 존재하는 감각신경인 삼차신경종말을 자극하고 그 자극이 뇌줄기의 재채기중추로 전달되어, 그 정보가 척수신경, 혀인두신경, 미주신경, 얼굴신경 등을 거쳐 호흡근 (가로막, 갈비사이근 등), 뒤통수근, 얼굴근육으로 전해져 재채기가 일어난다. 또, 그 자극은 부교감신경에도 전달되어 코 점막에 있는 부교감신경의 신경 말단으로부터 아세틸콜린이 방출되고 코샘이 자극을 받아 콧물의 분비가 항진한다.

삼차신경은 글자 그대로 「세 갈래로 갈라진」 신경으로, 그 말단이 「눈」, 「코」, 「턱」에 각각 분포하고 있다(그림 1). 코에 이물이 침입하면 그 자극을 코의 삼차신경 말단이 전달해서 재채기를 일으키지만, 「코에서 자극이 불충분할 때 (재채기가 나오려다가 나오지 않는 경우)」에 태양을 보면 태양의 광자극이 눈의 삼차신경을 거쳐 전달되고 그것이 코의 자극을 보완하여 재채기를 일으킨다.

참고로 하부호흡기도에서 똑같은 반사는 「기침」인데 체외로 이물질을 배출한다.

그림 1 삼차신경과 그 갈래

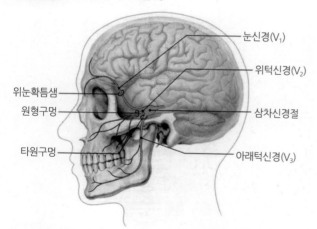

눈신경(V₁)
위턱신경(V₂)
위눈확틈샘
원형구멍
삼차신경절
타원구멍
아래턱신경(V₃)

삼차신경(V)은 세 갈래로 나뉘어지고 주로 얼굴의 피부와 점막의 감각을 담당한다.

엣취~

용어 뇌줄기(뇌간, brain stem), 삼차신경(trigeminal nerve), 위눈확틈샘(상안와열, superior orbital fissure), 원형구멍(정원공, Foramen rotundum), 타원구멍(난원공, Foramen ovale), 삼차신경절(반월신경절, semilunar ganglion), 눈신경(안신경, Opthalmic nerve), 위턱신경(상악신경, maxillary nerve), 하악신경(아래턱신경, mandibular nerve)

Q11 「기침」은 왜 나올까?

A 기침은 목에서 기관, 기관지 등의 기도 내에 이물질이 들어 있을 때, 인체 안에서 그것을 배출하기 위해 일어나는 가장 기본적인 생체방어 반응이다.

기침은 목에서 기관, 기관지 등의 점막이 염증을 일으켰을 때, 담배나 공기오염, 건조에 의해서 상처 난 점막 상태로 먼지·세균 등의 이물질을 흡입했을 때 인체가 이물을 체외로 배출하기 위해 일어난다. 만약 기침을 하지 않으면 기관에 이물이 막혀 숨을 쉴 수 없게 되거나 가래 속에 세균이 있으면 폐렴에 걸린다.

이물이 들어갔을 때 기관지 안에 있는 신경의 말단이나 수용체에서 자극을 느끼고 그 정보가 숨뇌의 기침중추로 전달된다. 기침은 그 정보가 머릿속의 여러 신경을 거쳐 뇌나 배, 목 등의 호흡근, 후두나 기관지에 전달되어 발생하는 신경반사이다(**그림 1**).

기관지는 폐 속에서 여러 갈래로 나뉘어져 갈수록 가늘어 진다. 가늘어 진 곳엔 신경이 없어서 폐의 말초 부분에서는 자극을 느낄 수 없기 때문에 기침이 나오는 일은 없다.

기침이 나오는 또 하나의 이유는 기관지를 둘러싼 민무늬근육이 수축함에 따라 그 안에 있는 신경의 말단이 자극을 받아 그 정보가 똑같이 머릿속에서 처리되기 때문이다. 크게 숨을 들이마시면 그것이 자극이 되어 기침이 나올 수 있다. 이것은 인체 안에서 기관지가 갑자기 크게 늘어나서 민무늬근육을 자극하므로 기침이 나오는 것이다.

기침은 크게 세 종류로 나뉜다. 감기나 기관지염, 폐렴의 초기에 가래를 동반하지 않고 「콜록콜록」 하는 것이 「마른기침」(건성기침)이다. 이 증상이 진행되어 증식한 균에 의해 점액이 증가하면 가래를 동반하는 「습한 기침」(습성기침)이 된다. 그리고, 알레르기가 원인이 되어 일어나는 경련성 기침이 있다. 기관지 천식의 발작이 이 기침에 해당된다. 기침은 의외로 체력을 소모시킨다. 한 번의 기침으로 약 2 kcal가 소모되는데 50번 기침을 했다고 하면 조깅을 12분 간 한 것과 맞먹는 에너지가 소모된다.

그런데 아이스크림을 한 번에 먹었을 때 갑자기 기침이 나는 경험을 한 사람도 있을 것이다. 이것은 급격하게 차가워진 목의 점막이 충혈돼서 일어나는 「마른기침」과 거의 유사한 상태이다. 이 경우엔 충혈이 없어지면 금방 멈추는 기침이기 때문에 걱정할 필요는 없다.

그림 1 기침의 제트 기류에서 이물을 강제배출

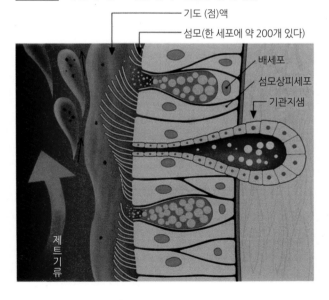

용어 섬모상피세포(ciliated epithelial cell), 기관지샘(기관지선, bronchial gland)

Q12 코를 풀면 많은 콧물이 나오는데, 콧물은 어디에서 나오는가?

A 콧물은 코 안의 코 샘이나 코 점막 세포에서 분비되어 코곁굴에 고여 있다. 「콧물」은 코 점막 밑의 풍부한 모세혈관의 수분이 밖으로 흘러나온 것이다.

코에는 코 안과 코곁굴(그림 1)이라는 공동이 있다. 코 안이 하는 일은 후각 (냄새를 맡음)이나 공명 (소리의 울림) 외에 들숨의 가온과 가습이 있다. 코 안은 풍부한 모세혈관이 밀집해 있는 점막으로 뒤덮여 있다. 콧물은 그 코 안 내의 코 샘이나 배세포(점액생산세포)에서 분비되는 점액과 혈관에서 스며 나온 액의 혼합액이다.

콧물은 코로 흡입한 공기에 적당한 습기를 주거나 기도의 점막을 병원균으로부터 보호하기 위해 항상 분비된다. 보통은 코 안의 섬모가 목의 방향으로 나있어서 섬모운동에 의해 콧물은 코에서 목 쪽으로 운반되고 무의식중에 넘어가게 된다. 그러나 감기를 앓을 때는 코나 목에 부착된 병원균을 살균하고 씻어내기 위해 대량의 콧물이 분비되고, 코로 넘쳐흐른다.

또 코 점막이 꽃가루 등의 알레르기에 계속 자극받는 동안에는 코의 모세혈관의 수분 투과성이 높아지고 콧물의 분비량이 증가한다. 그 대량의 콧물을 코 안의 섬모가 처리하지 않고 「콧물」이 되어 코를 통해 밖으로 나온다. 화분증일 때의 콧물은 다량으로 나오는 것처럼 보일지 모르지만 하루에 기껏해야 100ml정도이다.

단 점액성 콧물에 포함된 이물은 보통 목 쪽으로 운반되어 입을 통해 밖으로 나오기 때문에 통상 코를 통해 밖으로 나가지 않는 구조로 되어 있다.

콧물을 담고 있는 코곁굴로는 나비뼈굴, 위턱굴, 이마굴이 있는데 합치면 용적이 60cm³ 이상이나 된다*. 감기에 걸렸을 때는 코곁굴의 도관이 점막에 의해 막히게 되고 「콧소리」가 나며 음색에 변화가 생긴다. 참고로 「코막힘」은, 막힘으로써 그 이상의 꽃가루 등을 인체 안에 넣지 않으려는 것이다. 추운 날에 코가 막히는 것도 바깥 공기가 너무 차가워서 코의 온도나 습도 조정이 어려워져서, 이 이상 대량으로 차갑고 건조한 공기를 들이마시지 않으려고 입구를 막아놓는 것이다.

* 위턱굴의 용적이 가장 커서 약 38cm³이고 다음은 나비뼈굴로 20cm³전후, 이마굴이 가장 작은데 8cm³정도이다. 코곁굴 용적의 상대편차는 나비뼈굴은 14%, 위턱굴은 13%, 이마굴은 27%로 되어 있다.

그림 1 코곁굴

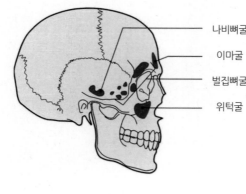
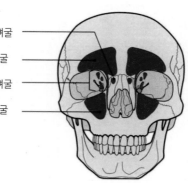

나비뼈굴
이마굴
벌집뼈굴
위턱굴

 코곁굴(부비강, paranasal sinuses), 나비뼈굴(접형골동, sphenoidal sinus), 이마굴(전두동, frontal sinus), 벌집뼈굴(사골동, ethmoidal sinus), 위턱뼈굴(상악동, maxillary antrum)

Q13 라면을 먹으면 콧물이 나오는 것은 왜 그럴까?

A 코는 차가운 공기가 기관이나 기관지, 폐에 갑자기 들어가지 않도록 점액을 분비하고 가온, 가습하는 라디에이터의 역할을 한다.

코는 점막에서 분비되는 점액으로 공기 중에 있는 먼지 등을 흡착시켜 들숨을 정화시키는 작용을 한다. 또, 들이마신 공기를 가온, 가습하는 라디에이터의 역할을 한다. 뜨거운 라면을 먹을 때 그릇 안의 열기가 수증기가 되어 코로 들어간다. 이것이 코의 라디에이터 작용으로 차가워져 수분이 된다(**그림 1**).

또, 뜨거운 열기나 입으로 직접 들어오는 라면, 뜨거운 국물이 자극이 되어 코 점막의 모세혈관이 확장되고 혈행이 좋아진다. 그리고 점액이 과잉 분비됨과 동시에 모세혈관의 수분 투과성이 높아져서 조직액이 침투해 온다. 이와 같은 두 가지 이유로 「콧물 모양을 한 것」이 코에서 나온다. 라면 가게에는 티슈가 준비돼 있다. 가게도 그것을 알고 준비해 놓는 것이다.

라면을 먹을 때 「마시는」 것을 잘못하고 사례가 걸리는 사람을 자주 본다. 이것도 뜨거운 면과 함께 국물이나 수증기를 한꺼번에 마시기 때문에 일어나는 생체반응의 하나이다. 보통 무언가를 삼킬 때는 삼킴반사가 일어난다. 삼키기란 수분이나 음식물을 입 안에 넣으면 기도 (공기의 통로)를 닫고 인두에서 식도·위로 내려 보내는 것을 말한다. 삼키는 과정 중에 문제가 생기면 사레가 들린다(**그림 2**). 삼키기와 호흡 장치 사이에는 고도로 복잡한 협력 운동이 있다. 또, 수증기나 수분은 고체보다 흐르는 속도가 빠르기 때문에 삼킴반사가 일어나기 전에 후두덮개가 열린 채로 기관으로 흘러 들어가 「사례」에 걸리는 것이다. 라면을 먹을 때 사례에 걸리지 않으려면 뜨거울 때 먹지 말고 식혀서 천천히 국물을 마시는 게 좋다.

그림 2 삼키기 전의 기도 내 흡인

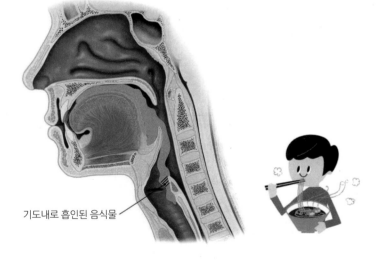

기도내로 흡인된 음식물

그림 1 코 안이 하는 일

memo

Q14 목소리는 어떻게 나오는 걸까?

A 성대에서 발생한 음은 공명강이라는 공동에서 공명하고 입 안에서 음색의 변화라는 가공을 거쳐 최종적으로 목소리가 되어 확산된다.

소리는 진동이다. 들이쉰 숨을 뱉을 때에 성대를 진동시킴으로써 「소리의 근본」이 만들어 진다(**그림 1**). 성대는 기관의 입구 쪽, 정확히 후두융기의 위치에 있는 2조의 근육 주름으로 만든다(전정주름과 성대주름). 이 주름과 주름의 사이를 성문이라 한다. 성대가 미묘하게 닫히거나 열리거나 해서 성문이 좁아지면 그

틈으로 공기가 통하고 주름위의 점막에 진동이 생긴다. 성대로는 버저 같이 음의 높낮이 차이만 만든다.

이 공기의 진동이 인두를 지나서 입 안과 코 안에 보내지는데 거기에서 공명이 일어난다. 혀나 입술 등을 움직임에 따라 여러 가지의 말(목소리)이 된다(**그림 2**). 입 안과 코 안 등을 공명강(울림을 만드는 공동부분)이라 하는데 안면두개의 함기골이라 불리는 공명 장치에 의해 소리는 반향하고, 여러 가지 울림이 있는 음성이 되어 외부로 나온다.

공명이란 소리가 사방으로 확산되어 부딪치고 반사하기를 반복하므로 소리가 증폭되는 것을 말한다. 입을 크게 벌려 공명할 수 있는 공간을 넓히면 소리의 증폭도 커져서 큰 목소리를 낼 수 있다. 소리의 높낮이를 결정하는 것은 성대의 인대로 현악기와 똑같은 원리이다. 긴 현은 짧은 현보다 낮은 소리가 나고 현의 당김이 강한 만큼 높은 소리가 난다. 목소리의 높이도 성대의 길이와 당김 정도로 결정된다. 성대를 긴장시키면 목소리가 높아진다. 목소리의 개인차는 인체의 크기·성도의 길이·치아의 배열·코의 형태 등 여러 가지 차이로 나타난다.

헬륨가스를 마시고 소리를 내면 목소리가 높아진다. 이것은 헬륨 안에서는 음속이 빠르기 때문에 성대도 그 만큼 빠르게 진동하기 때문이다. 헬륨가스를 흡입했을 때의 성대는 공기의 2.5배 속도로 소리를 전달한다. 그래서 성대의 진동수(주파수)도 2.5배가 된다. 이것은 「도」음과 1옥타브 위의 「미」음의 차이와 같다.

그림 1 **목소리의 크기에 따른 성대의 변화**

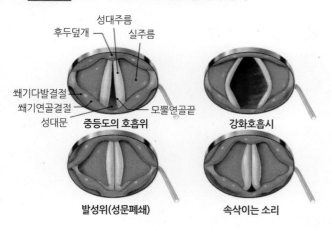

성대주름
후두덮개   실주름

쐐기다발결절
쐐기연골결절   모뿔연골끝
성대문   **중등도의 호흡위**   **강화호흡시**

발성위(성문폐쇄)   **속삭이는 소리**

그림 2 **모음에 의한 혀의 위치**

「아, 이, 우, 에, 오」를 발음할 때 혀의 모양

아   이   우   에   오

 후두덮개(후두개, epiglottis), 성대주름(vocal fold), 쐐기다발결절(설상결절, cuneate tubercle), 쐐기연골결절(소각결절, cuneiform tubercle), 모뿔연골끝(피열연골첨, Arytenoid apex), 성대문(성문, glottis)

Q15 왜 콧구멍이 두 개 있을까?
귀나 눈이 두 개 있는 것과 관계가 있을까?

A 눈이 두 개, 귀가 두 개이기 때문에 그것과 연결되는 콧구멍도 두 개 있다. 또, 좌우 교대로 쉬기 위해서이다.

콧구멍은 왼쪽은 왼쪽, 오른쪽은 오른쪽 각각 따로 코눈물관으로 눈과 연결되고, 귀관으로 귀와 연결된다. 콧구멍이 두 개 있는 것은 눈이 두 개, 귀가 두 개 있기 때문이다.

기능적으로는 산소가 그다지 필요 없을 때는 한쪽 코 비갑개의 점막을 충혈시켜 공기가 다니는 길을 조금 막아 쉬게 한다. 운동을 하거나 산소가 많이 필요할 때는 양쪽 코 모두 사용한다.

콧구멍이나 눈, 코는 두 개 씩 있다. 눈이 왜 두 개 있는가 하면 두 개가 아니면 사물을 입체적으로 볼 수 없기 때문이다. 즉 원근감 파악이 안 된다. 또,「마리오트의 맹점」(그림 1, 2)이라고 해서, 한쪽 눈만으로는 시계 안에 보이지 않는 곳이 일부 있다. 그것을 양쪽 눈으로 봄으로써 커버한다. 시계를 넓게 하기 위해서 눈은 두 개 필요한데, 초식 동물의 양쪽 눈이 떨어져 있는 것도 시야를 보다 넓게 하기 위해서이다.

귀도 소리가 나는 방향을 파악하는데 있어서 두 개가 아니면 360°를 커버할 수 없다. 토끼는 두 개의 귀를 많이 움직여서 주위의 소리를 듣는다. 그래서 눈이나 귀는 두 개 필요하다.

사람의 몸에는 좌, 우로 두 개 있는 것이 꽤 있다. 눈, 귀, 콧구멍 등 감각기는 그 정보를 신경을 통해 뇌로 전달한다. 뇌 자체도 좌 우 두 개의 반구로 구성되어 있다. 호흡기관은 「콧구멍」만이 아니고 폐나 기관지도 좌우 두 개씩 있다. 그러나 기관만은 한 가운데에 하나 있다. 소화기관은 입에서 항문까지 하나의 관으로 연결되어 있고 도중에 간장이나 이자가 붙어 있지만 하나이다. 그밖에 콩팥이 두 개 있고 손이나 발도 좌우로 두 개 있다.

감각기는 야생의 동물이 적으로부터 도망가기 위해 가장 중요한 기관이다. 동물의 몸은 살아남기 위해 조금이라도 환경에 적응하려고 오랜 세월을 거쳐 변화해 왔다. 몸의 구조물 중 대부분이 목적에 맞게 만들어 진 건 아닐까. 이를테면 개나 고양이, 뱀이나 개구리, 물고기나 새도 콧구멍이 두 개 있는데 돌고래를 대표하는 이빨고래류는 하나의 콧구멍밖에 없다(수염 고래류는 두 개).

그림 1 마리오트의 맹점

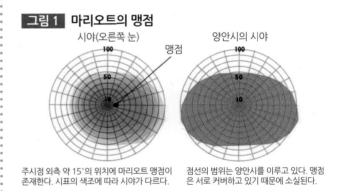

시야(오른쪽 눈)　　　양안시의 시야
맹점

주시점 외측 약 15°의 위치에 마리오트 맹점이 존재한다. 시표의 색조에 따라 시야가 다르다.

점선의 범위는 양안시를 이루고 있다. 맹점은 서로 커버하고 있기 때문에 소실된다.

그림 2 맹점을 찾는 방법

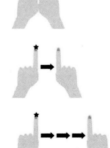

1. 왼쪽 눈(한쪽 눈)을 감는다.
   왼쪽의 그림처럼 양쪽이 검지를 눈높이로 맞춘다.

2. 오른쪽 눈의 시선을 왼손 검지 손톱에(★표) 맞추고 주시한다.
   오른손을 천천히 귀 쪽으로 평행 이동한다.
   이때 오른쪽 눈의 시선이 ★에서 벗어나지 않도록 주의한다.

3. 그림처럼 천천히 평행 이동한다.
   오른손 검지의 손톱이 사라진다.
   이것이 맹점이다.

오른손 검지의 손톱이 사라지지 않으면 다시 처음부터 해 본다.

http://www.shonai-ya.co.jp/mouten.html 을 참고로 작성.

용어 맹점(blind point), 코눈물관(비루관, nasolacrimal duct), 귀관(이관, auditory tube, eustachian tube)

PART 2

소화기

Q1 왜 사람의 이는 평생에 한 번만 이갈이를 하는 것일까?

A 인간의 이는 튼튼해서 오래 유지할 수 있기 때문이다.

상어의 이는 몇 번이나 이갈이를 한다. 그럼 왜 인간의 이는 한 번 밖에 하지 않는 것일까?

인간의 이는 생후 6~8개월경부터 나기 시작해서(2~3세경)상하 10개씩 젖니를 모두 갖춘다.

그 후 6세쯤 되면 젖니 아래에 형성된 간니가 젖니의 치아뿌리부분의 칼슘을 흡수하면서 젖니를 밀어내듯이 성장한다. 그리고, 상하 16개씩의 간니로 이갈이를 한다(그림 1, 2).

그럼, 왜 5~6세경에 이갈이를 하는 것일까?

그것은 턱뼈의 성장과 관련이 있다. 유아기는 턱이 작아서 이가 나는 장소가 좁기 때문에 젖니는 조그맣고 숫자도 적다. 그러던 것이 성장을 함에 따라서 작고 적은 숫자의 젖니로는 턱으로 받는 힘을 충분히 지탱하기 어렵게 된다. 결국, 턱이 성장함에 따라 「5~6세경에」에 이갈이를 하는 것이다.

구조적으로 보면 인간의 이는 뼈에 직접 붙어있는 것은 아니다. 치아뿌리과 이틀뼈 사이에 치근막(치주인대)이라는 섬유가 있는데 이 치근막이 이에 닿는 충격을 흡수하는 쿠션 역할을 한다. 이 쿠션 덕분에 잘 부러지지 않고 씹는 힘도 강한 튼튼한 이를 갖게 된다. 한편, 상어의 이는 턱뼈에 직접 연결되어 있어서 충격에 파손되기 쉽기 때문에 몇 번이나 이갈이를 할 필요가 있다.

인간은 진화의 과정에서 튼튼하고 오래 유지할 수 있는 이를 얻었다고 볼 수 있다.

그림 1 이갈이의 방법

6세

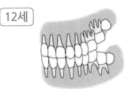

12세

간니는 젖니의 칼슘을 흡수하면서 나온다.

간니는 갖추어졌지만, 사랑니는 아직 파묻혀 있다.

그림 2 간니로 이갈이하는 시기

중심앞니	7~8세
가쪽앞니	8~9세
송곳니	11~12세
첫째 작은어금니	10~11세
둘째 작은어금니	10~12세
첫째 큰어금니 (6세 어금니)	6~7세
둘째 큰어금니	12~13세
둘째 큰어금니	11~13세
첫째 큰어금니 (6세 어금니)	6~7세
둘째 작은어금니	11~12세
첫째 작은어금니	10~12세
송곳니	9~10세
가쪽앞니	7~8세
중심앞니	6~7세

간니는 6세 아동에게 나는 첫째 큰어금니(육세구치)를 시작으로 12세경까지 이갈이를 하고 사랑니 4개를 제외하면 28개가 된다.

 간니(영구치, permanent teeth), 젖니(유치, Deciduous teeth), 치아뿌리(치근, root), 이틀뼈(치조골, alveolar bone), 사랑니(지치, Wisdom teeth), 중심앞니(중절치, central incisor), 가쪽앞니(측절치, lateral incisor), 송곳니(견치, canine), 첫째 작은어금니(제일소구치, first premolar), 첫째 큰어금니(제일대구치, first molar = posteriory cheek tooth)

Q2 충치는 옮기는가?

A 옮긴다.
어른끼리라면 걱정이 없지만 아기는 주의해야 한다.

충치의 원인균인 뮤탄스균(스트렙토코커스·뮤탄스) 등의 세균이 입 안에서 증식할 때 치구나 음식물의 가스를 영양분으로 이용하여 산을 만든다. 그 산에 의해 이 표면의 에나멜질이 녹아 충치가 발생한다.

보통은 침의 작용에 의해 이가 녹는 부분에 재석회화가 일어나서 충치의 진행을 억제하지만 입 안의 pH 균형이 무너지면 이가 침식해 간다.

이를 재석회화하는 것이 침이지만 그 안에도 충치의 원인균이 존재한다. 그래서 키스 등으로 충치균에 감염될 가능성이 있다. 그러나 감염력은 강하지 않고 대부분의 사람들 입 안에 이미 세균이 있기 때문에 어른의 경우에는 감염이 문제가 되는 일은 드물다.

그러나 갓 태어난 아기의 입 안에는 충치의 원인균이 존재하지 않기 때문에 주의할 필요가 있다. 충치균은 모친의 침을 통해 모자 감염된다고 생각할 수 있는데 대부분은 젖니가 생기기 시작한 생후 6개월경부터 균을 볼 수 있다.

그러나 입으로 음식물을 주거나 젓가락, 숟가락을 공용하지 않으면 가령 균에 감염됐다고 하더라도 바로 충치가 되는 것은 아니다.

중요한 것은 젖니가 생기기 시작할 때부터 입 안을 청결하게 유지하는 일이다. 그를 위해서도 어릴 때부터 바른 칫솔질의 습관을 들이는 것이 중요하다. 또 모친이 아기에게 충치를 옮기지 않기 위해서 모친 자신이 임신 때부터 충치를 정확하게 치료하고 충치의 원인균을 감소시키는 노력을 해야 한다. 그것이 아기의 충치 예방으로 연결된다.

그림 1 이의 구조와 충치가 되는 과정

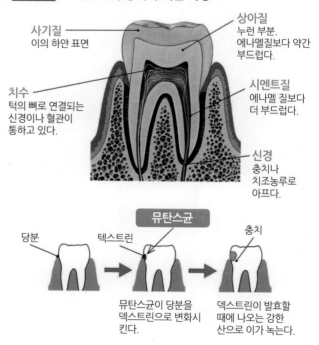

사기질
이의 하얀 표면

상아질
누런 부분.
에나멜질보다 약간
부드럽다.

치수
턱의 뼈로 연결되는
신경이나 혈관이
통하고 있다.

시멘트질
에나멜 질보다
더 부드럽다.

신경
충치나
치조농루로
아프다.

당분　텍스트린　뮤탄스균　충치

뮤탄스균이 당분을
덱스트린으로 변화시
킨다.

덱스트린이 발효할
때에 나오는 강한
산으로 이가 녹는다.

용어 사기질(에나멜질, Enamel), 상아질(dentin), 치수(齒髓, dental pulp), 시멘트질(cementum)

Q3 「달다」나 「맵다」는 혀의 어디에서 느끼는가?

A 혀에는 맛봉우리라는 맛을 느끼는 센서가 있다.

우리는 음식을 먹을 때 「달다」나 「맵다」를 민감하게 느낄 수 있다. 그럼, 그런 미각을 어디에서 느끼는 것일까?

혀의 표면은 오돌도돌한데 이것은 유두라는 작은 돌기가 많기 때문이다. 그 안에 꽃봉오리 같은 형태를

그림 1 맛봉우리의 구조

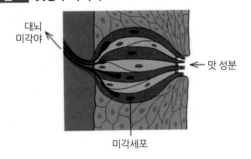

한 맛봉우리가 있는데 이것이 맛을 느끼는 센서이다. 음식이나 음료수를 입에 넣으면 침이나 물에 녹은 음식물 분자가 맛봉우리 안에 있는 미각세포에 스며든다. 그 정보가 미각신경을 거쳐 뇌의 미각야에 전달되고 「달다」나 「맵다」라는 미각으로 인식된다.

하나의 유두에는 약 200개의 맛봉우리가 있다. 맛봉우리는 혀에 약 5,000개가 있는데 그 밖에 구강점막에도 있어서 전체 합해서 8,000~10,000개의 맛봉우리가 있다. 맛봉우리 한 개 안에 20~30개의 미각세포가 들어 있다(그림 1).

음식물의 맛은 단맛, 신맛, 짠맛, 쓴맛 네 개의 기본적인 맛이 있다(최근에는 감칠맛도 더해서 다섯가지로 하기도 한다). 그러나 모든 종류의 맛을 혀에서 똑같이 느끼는 것은 아니며 각각의 맛에 특히 민감한 부분이 있다. 그림 2에 나타나듯이 혀끝에 있는 버섯유두에서는 주로 단맛을 느끼고, 혀 양옆에 있는 잎새유두에서는 신맛을, 혀 양옆과 혀 끝에 있는 실유두에서는 짠맛을, 그리고 혀 안에 있는 성곽유두에서는 쓴맛을 느낀다.

매운맛은 다른 미각처럼 맛봉우리에서 느끼는 것이 아니고 통각이나 온각으로써 느끼는 삼차신경에 의해 뇌로 전달된다. 고춧가루를 먹으면 조금 사이를 뒀다가 매운 맛을 느끼고 물을 마셔도 좀체 나아지지 않는 경험을 했을 것이다. 이것은 고춧가루의 매운맛 성분인 캡사이신이 혀의 표면에서 내부로 침투하고, 삼차신경 말단에 도달하기까지 시간이 걸리기 때문이다. 또, 혀의 내부에 침투해 있어 물을 마셔도 매운맛이 좀체 사라지지 않는 것이다.

그림 2 혀 표면에 있는 유두
혀 표면의 유두는 네 개로 분류된다.

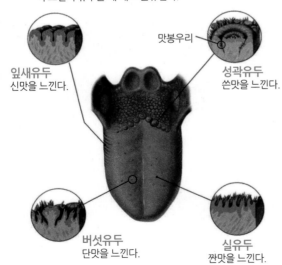

잎새유두
신맛을 느낀다.

맛봉우리

성곽유두
쓴맛을 느낀다.

버섯유두
단맛을 느낀다.

실유두
짠맛을 느낀다.

용어 맛봉우리(미뢰, taste bud), 대뇌(cerebrum), 미각세포(미세포, taste cell), 잎새유두(엽상유두, foliate papilla),
성곽유두(유곽유두, circumvallate papilla), 버섯유두(심상유두, papillae fungiformes), 실유두(사상유두, filiform papilla)

Q4 맛 중에서 민감하게 느끼는 맛은 무엇인가?

A 사람은 쓴맛에 대해 가장 민감하다.

맛 중에는 민감하게 느끼는 맛과 그렇지 않은 맛이 있을까?

있다. 단맛, 신맛, 짠맛, 쓴맛, 그리고 감칠맛 중에서 사람은 쓴맛에 특히 민감하고 그 다음은 신맛에 대해 민감하다(그림 1).

쓴맛은 원래 독물에 대한 맛인데 쓴맛이 있는 것은 인체에 유해한 물질이 많다. 독물의 분자구조는 단맛이나 감칠맛이 나는 물질의 분자구조에 비하면 다양하다. 그래서 사람에게 단맛과 감칠맛을 받아들이는 수용체는 몇 종류밖에 없는데 비해 쓴맛의 수용체는 26종류나 있다. 그래서 쓴맛을 아주 민감하게 느낄 수 있다. 인간이 살아가는 동안 위험한 것을 섭취하지 않도록 하는 준비된 기능이라 하겠다. 그러나, 쓴맛을 느끼는 정도는 상당히 개인차가 심해서 사람에 따라서는 1,000배에서 만 배나 다르다고 알려져 있다.

또, 신맛에 대해서도 똑같다. 신맛은 음식물이 썩을 때 발생하는 미각인데 역시나 이것들을 먹지 않게 하기 위해서 민감해진 것이라고 생각된다.

결국 쓴맛이나 신맛에 민감한 것은 인간이 살아남기 위해 진화의 과정에서 발달해온 것이다. 그러고 보면 인체에 가장 해롭지 않은 것이 단맛인데 역시 인간의 미각은 단맛에 대해 가장 둔감하다.

그림 1 인간이 느끼는 미각

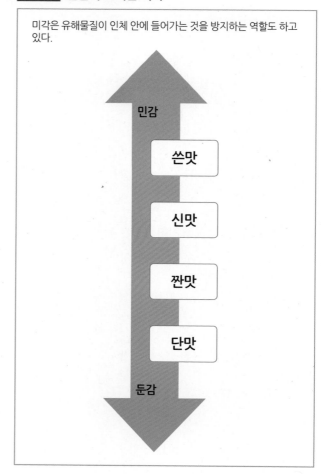

미각은 유해물질이 인체 안에 들어가는 것을 방지하는 역할도 하고 있다.

민감

쓴맛

신맛

짠맛

단맛

둔감

memo

Q5 시큼한 것을 떠올리면 침이 나오는 것은 왜 그럴까?

A 조건반사에 의해 침이 분비되는 것이다.

침은 주로 외인성침샘(귀밑샘, 턱밑샘, 혀밑샘)에서 분비되고 일부는 구강 내에 있는 점액선에서도 분비된다. 어른의 경우 하루에 1~1.5L의 침이 나온다.

그럼, 어떤 구조로 침이 나오는 것일까?

뇌에 있는 숨뇌의 침 분비를 관장하는 부분이 자극되면 그 부분이 흥분하면서 침을 분비하는 반사가 일어나 침이 나온다.

자극을 주는 방법에는 세 가지가 있다. 첫번째는 미각상이라 하는데 음식이 구강 내에 들어가 혀나 구강점막을 자극하거나 씹는 물리적 자극이다. 두번째는 뇌상이라고 해서 음식을 보거나 냄새를 맡거나 또는 상상하는 시각이나 후각, 상상에 의한 자극을 말한다. 그리고 세번째는 위장상이라는 것인데 이것은 자극이 강한 것을 먹으면 위장에 들어간 후 자극을 중화시키기 위해 침이 분비된다는 것이다(**그림 1**).

「시큼한 것을 떠올리면 침이 나온다」는 것은 뇌상에 의한 것이다. 뇌상은 조건반사에 의한 것인데 이전의 경험이나 학습에 의해 인체에 밴 것이다. 만약, 매실장아찌를 본 적도 먹은 적도 없는 사람(매실장아찌가 먹는 것인지도 모르는 사람)에게 매실장아찌를 보여줘도 침은 나오지 않는다. 그것은 매실장아찌를 먹은 경험이 없어서 조건반사가 일어나지 않기 때문이다.

그림 1 조건반사에 의해 침이 나오는 구조

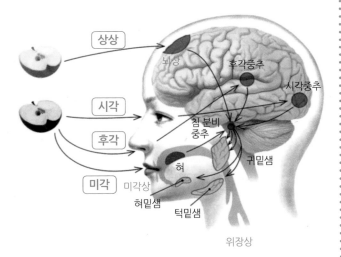

· 침샘은 교감신경과 부교감신경의 지배를 받고 있다.
· 침의 분비는 미각이나 후각, 구강 내의 촉각 등의 정보가 타액분비 중추를 자극해서 일어난다.
· 과거에 있었던 경험에 의해 (생후의 학습에 의한다) 조건반사로 침 분비 중추가 자극받을 수도 있다.

용어 외인성침샘(extrinsic salivary glands), 귀밑샘(이하선, parotid gland), 혀밑샘(설하선, sublingual gland), 턱밑샘(악하선, submandibular gland)

Q6 식도는 근육인가?

A 식도는 근육으로 된 관이다.
이 근육이 음식물을 위까지 운반해 준다.

식도는 목과 위를 연결하는 길이 약 25cm, 직경 약 1~2cm의 근육으로 된 관이다. 음식을 먹으면 근육(돌림근)의 수축과 이완을 반복하면서 음식을 밑으로 내려 보내는 일을 하는데 이것을 꿈틀운동이라 한다. 이 운동 덕분에 누워서 먹더라도, 설령 물구나무서기를 하고 먹는다 해도 먹은 음식은 위까지 정확하게 내려간다. 식도 내막을 덮는 점액도 식도 안의 음식물이 제대로 지나갈 수 있도록 돕는다(**그림 1**).

그런데 식사를 하다가 「사레」에 걸린 적이 있을 것이다. 원래 음식물은 식도를 통해 위까지 가지 않으면 안 된다. 그러나 잘못하여 기관 쪽으로 가려고 하면 그것을 막기 위해「사레」가 드는 것이다.

음식물이 목을 지날 때 기관으로 가지 않도록 후두덮개가 기관의 입구를 막도록 되어 있다. 후두덮개는 항상 절묘한 타이밍으로 기관의 입구를 열었다 닫았다 하지만 약간의 엇박자로 잘 닫히지 않았을 때 음식물이 오면「사레」에 걸리게 해서 음식물이 기관으로 진입하지 못하도록 한다.

식도와 위 사이에 있는 들문은 평상시에 조임근에 의해 닫혀져 있어 위의 내용물이나 위액이 역류하는 것을 방지한다. 들문부의 조임근 작용이 약해지면 위액이 식도로 역류하고 그로 인해 가슴이 쓰리거나 흉통이 일어날 수 있다(역류성식도염).

또, 식도는 뜨거운 것이나 알콜 도수가 높은 술, 담배 등의 자극에 의해 손상을 받기 쉬운 기관이다. 이것들로 인해 식도암이 생기기 쉽다는 것도 잘 알려진 사실이다. 음식물을 넘길 때 위화감이 느껴질 경우는 주의할 필요가 있다.

그림 1 식도의 구조와 삼킴 과정

식도의 내강은 가로 약 2cm, 세로 약 1cm 정도 되는 찌부러진 타원형을 하고 있다.

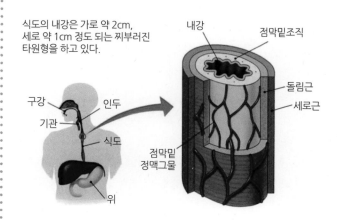

삼킴의 과정

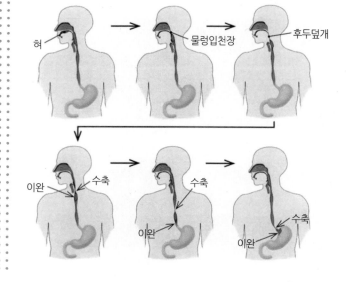

 들문(분문, cardia), 점막밑(점막하, submucous), 정맥그물(정맥총, venous plexus), 아래뿔돌림근(하각윤상근, musculus ceratocricoideus), 세로근육층(종주근층, longitudinal layer), 물렁입천장(연구개, soft palate)

Q7 인간의 위는 어느 정도까지 소화시킬 수 있는가?

A 위에서 분비되는 위산은 pH 2로 아주 강한 산성인데 금속도 녹여버릴 정도이다.

위의 내측 점막에는 위액을 분비하는 세포가 있다 **(그림 1)**. 위 안에 들어온 음식물은 위액에 의해 녹아 미즙이라는 걸쭉한 상태로 변화된다.

위액은 한 번 식사 때마다 약 0.5L분비되는데 하루에 약 1.5~2.5L나 된다. 이 위액 속에는 위산과 소화효소(펩시노겐), 그리고 점액이 함유되어 있다. 위산의 주성분은 염산인데 pH는 2이다. pH2라는 것은 아주 강한 산성으로 금속도 녹일 정도로 강력하며 피부에 닿으면 화상을 입는다.

위산은 음식물을 녹이는 동시에 위액 속에 포함된 펩시노겐을 활성화시켜 펩신이라는 단백질을 분해하는 효소로 바꾸는 역할도 한다.

여기까지 들으면 「어째서 위는 녹지 않는 걸까?」라는 소박한 의문이 생길 것이다. 위산은 금속까지 녹일 만큼 강력하고 게다가 위벽 자체가 단백질로 구성되어 있는데 그 단백질을 분해하는 효소까지 만들어 내고 있으니 말이다.

위 자체가 녹지 않는 이유는 분비되는 위액 속에 상

피세포(표층점액세포)에서 분비되는 산성에 강한 점액이 포함되어 있기 때문이다. 이 점액이 경계선 역할을 하고 위를 보호하기 때문에 위는 녹지 않는 것이다.

역류성식도염(위식도역류증 GERD)은 위산이 식도로 역류해서 식도점막이 헐어있는 상태이다.

그림 1 위와 위벽의 구조

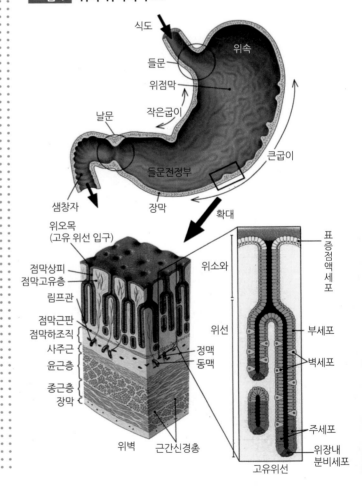

 들문(분문, cardia), 작은굽이(소만, lesser curvature), 날문(유문, pylorus), 큰굽이(대만, greater curvature), 샘창자(십이지장, duodenum), 장막(serosa), 위오목(위소와, gastric pits), 윤근층(circular muscle layer), 종근층(longitudinal muscle layer), 부세포(accessory cell), 벽세포(parietal cell), 으뜸세포(주세포, principal cell), 고유위샘(고유위선, gastric gland proper)

24 간호대학생을 위한 쉬운 일러스트 해부생리학 ❶

Q8 「스트레스로 위가 아프다」, 이때의 위 속은 어떻게 되어 있을까?

A 위액 분비의 균형이 깨지고 위궤양이 생겼을 수도 있다.

현대인은 누구나 스트레스를 안고 살아간다. 일이나 친구 관계로 고민하고 있는 사람도 많을 것이다. 많은 고민을 안고 있거나 극도의 긴장에 놓였을 때 등 강한 스트레스를 받으면 위가 아플 수가 있는데 「위에 구멍이 난 것 같다」라는 표현을 많이 한다.

어째서 스트레스로 위에 불쾌감이나 통증을 느끼는 것일까? 그것은 위가 자율신경의 영향을 받기 쉬운 장기인데 그 자율신경은 정신적인 것에 영향을 받기 쉽기 때문이다.

그럼, 그럴 때 위 속은 어떻게 되어 있을까? 위에서 분비되는 위액은 강한 산성이지만 위벽은 산에 강한 점액으로 보호받고 있기 때문에 손상을 입지 않는다. 그러나 정신적 스트레스에 빠지면 자율신경이나 호르몬의 작용에 의해 과도한 위산 분비가 일어난다. 그렇게 되면 위를 보호하는 점액의 경계 역할이 위산 분비를 감당할 수 없게 되고 그 결과 위 내벽에 상처가 나거나 녹는 수가 있다. 이것이 위궤양이다(**그림 1**). 스트레스 외에도 흡연이나 알코올, 피로 등도 위산 분비의 균형을 깨뜨리는 요인이다. 또, 헬리코박터파이로리균의 감염도 위궤양의 원인 중 하나이다.

위궤양은 가벼운 경우엔 특별한 증상도 없고 자연스럽게 치료되는 것이 대부분이지만 궤양이 심할 때는 토혈이나 하혈을 할 수도 있다. 너무 많은 고민을 안고 살지 말고 적당하게 스트레스를 풀어야 한다.

그림 1 위궤양의 진행도

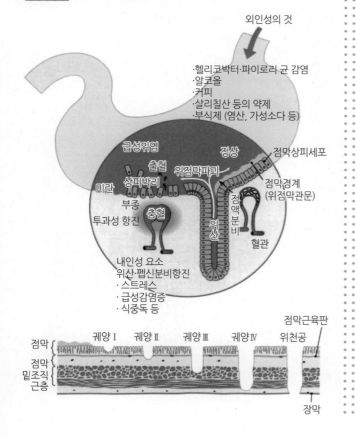

위를 쉽게 하는 생활

규칙적인 생활

충분한 수면

적당한 운동

 점막근육판(점막근판, lamina muscularis mucosa), 위천공(gastric perforation), 점막밑조직(점막하조직, submucous tissue), 근육층(근층, muscle layer)

Q9 위암의 원인은 균인가? 옮기는 것인가?

A 위암의 원인 중 하나로 헬리코박터 파이로리 균의 감염이다.
이 세균은 경구감염에 의해 사람에게서 사람으로 옮긴다.

예로부터 강한 산성인 위 속에는 세균이 살지 못한다고 생각해 왔다. 그러나, 1980년대에 오스트레일리아의 두 의학자가 위염이나 위궤양 환자의 위에서 헬리코박터 파이로리 균(그림 1)을 발견하고, 이 세균이 위염이나 위궤양의 원인이라는 것을 밝혀냈다. 그 연구 성과가 인정되어 두 사람은 2005년 노벨의학·생리학상을 수상했다.

헬리코박터 파이로리 균은 위암과도 관계가 있다. 세계보건기구(WHO)는 역학조사에서 헬리코박터 파이로리 균을 발암물질로 인정했다. 또, 갖가지 연구로부터 헬리코박터 파이로리 균과 위암의 관계가 밝혀졌다.

헬리코박터 파이로리 균은 40세 이상 일본인의 약 70%가 감염되었다고 알려져 있다. 입에서 입으로의 경구감염이 대부분인데, 예를 들면 한 번 입에 넣었던 음식물을 아이에게 준다던가 해서 모친에게서 아이에게로 감염될 수도 있다.

헬리코박터 파이로리 균의 검사는 내시경검사로 위의 일부를 채취해서 신속우레아제시험이라는 방법을 사용하면 간단하게 할 수 있다. 또, 혈액이나 소변, 대변을 사용하는 검사법도 있다. 만약 헬리코박터 파이로리 균이 발견되면 제균을 하는 게 좋다. 항생물질 등의 약을 복용하면 약 80~90%가까이 제균할 수 있다.

그런데 어떻게 헬리코박터 파이로리 균은 강한 산성인 위 속에서 살아있는 것일까? 그것은 이 세균이 체내에 갖고 있는 효소로부터 알칼리성인 암모니아를 만들어 냄으로써 자기 주변의 위벽을 중화시키기 때문이다. 소위 경계막을 쌓고 있는 것과 같은 결과다.

그림 1 헬리코박터 파이로리 균

헬리코박터 파이로리 균은 요소를 분해한다. 우레아제라는 효소를 갖고 있다.

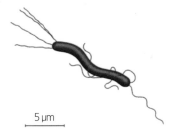

5 μm

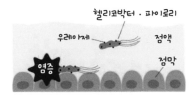

memo

Q10 왜 위하수가 되는 걸까?

A 위를 지탱하는 근육이나 지방이 적을 경우 위의 하부가 밑으로 늘어지는 것이다.

위하수란 위가 정상적인 위치보다 아래로 쳐진 상태를 말한다. 심할 때는 배꼽 주변이나 골반 위치까지 쳐질 수도 있다. 쳐진다 해도 위 전체가 그런 것은 아니고 위 상부는 정상적인 위치에 있는데 하부가 늘어진 상태이다**(그림 1)**.

위하수는 위를 지탱하는 근육이나 지방이 적을 경우에 일어나기 쉽다. 「마른 사람에게 많다」라고 잘 알려진 것은 그 때문이다. 또 체형 외에도 폭음폭식, 과로나 불안에 의한 스트레스가 원인이 되어 위에서 소화가 잘 안 되기 때문에 위에 음식물이 너무 쌓여 일어나는 경우도 많다. 그 밖에 복부의 수술이나 출산 등을 반복했을 때에도 일어난다.

위하수가 되면 소화가 잘 되지 않고 위 속에 무언가 얹힌 듯한 상태가 오래 지속되는데 말하자면 소화불량이다. 한편, 위는 필사적으로 소화시키려고 위산을 많이 분비한다. 결국 소화불량에다 위산 과다인 상태가 되어서 위염이나 위궤양을 일으킬 위험이 높은 상태가 된다.

위하수 증상으로는 ①배가 더부룩한 느낌이 든다 ②소량의 식사에도 배가 부르다 ③식후의 메슥거림 ④식욕부진 등을 들 수 있다. 위하수는 병적인 의의는 없고 기본적으로 치료하지 않는다. 균형에 맞는 식생활, 규칙적인 생활에 정신적안정 등 불안을 제거하는 것이 제일 좋은 대처법이다. 또, 극단적으로 뜨거운 것이나 차가운 음식은 피하는 게 좋다. 위하수인 사람은 복근이 발달하지 않은 경우가 많으므로 복근을 단련하는 것도 하나의 방법이다.

그림 1 **위하수**

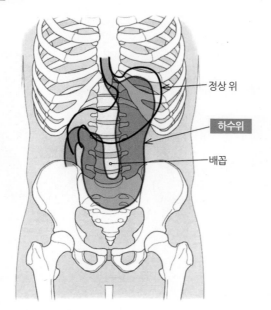

정상 위

하수위

배꼽

용어 위하수(위처짐, gastric ptosis)

Q11 배에서 소리가 나는 것은 왜 그럴까?

A 위의 수축 운동에 의해 위 속에 있는 공기가 이동할 때 소리가 난다.

뱃속이 비었을 때 「꼬르륵」하는 소리가 나는 것은 누구나 경험했을 것이다. 수업 중이나 한창 데이트를 할 때 뱃속에서 소리가 나서 창피하다고 생각했던 사람도 있을 것이다. 그럼, 왜 뱃속에서 소리가 나는 것일까?

위는 먹은 것을 위에서 분비되는 위액과 섞어 미즙이라 불리는 점액성이 있는 유동성혼합물로 만든다. 위는 그 미즙을 꿈틀운동이라고 불리는 수축과 이완을 반복하는 운동에 의해서 샘창자로 보낸다. 「배에서 소리가 난다」라는 것은 이 꿈틀운동과 관계가 있다(**그림 1**).

위는 공복인 상태라도 보통 1분에 4회 정도의 비율로 규칙적인 수축과 이완을 반복한다. 공복 시에는 갑자기 강한 수축을 일으킬 때가 있는데 그 때 위 속에 있는 공기가 위에서 샘창자로 위의 출구인 날문부라는 좁은 곳을 빠져 나간다. 그 때에 「꼬르륵」하는 소리가 나는 것이다. 또 강한 수축에 의해 위 상부에 몰린 공기가 압박을 받고 이동함에 따라 소리가 날 수도 있다.

「배에서 소리가 나는 것은 건강하다는 증거」라는 옛말이 있는데 어떤 의미에서 맞다고 할 수 있다. 기술한 바와 같이 생리현상이 일어난다는 것은 인체가 정상적인 기능을 한다는 증거이기 때문이다.

배에서 소리가 나지 않게 예방하기 위해서는 식사 때 가능한 한 공기를 마시지 않도록 하고 천천히 잘 씹어서 먹도록 해야 한다.

그림 1 위의 꿈틀운동

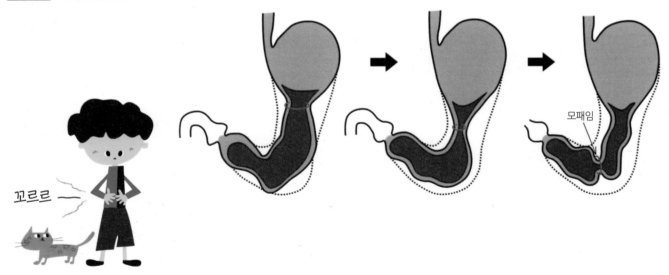

꼬르르

모패임

용어 모패임(각절흔, Angular notch)

Q12 디저트용 배는 따로 있다는데 정말인가?

A  배가 부른 상태라도 맛있어 보이는 케이크를 보면 위 속에 새로운 공간이 만들어진다.

식사를 하고 배가 잔뜩 부른 후에도 디저트로 맛있는 케이크가 나오면 「단 것은 배가 따로 있으니까……」하면서 냉큼 먹어버린 경험이 있을 것이다.

그런데 배가 따로 있다니, 정말일까?

사실은 정말 있다.

배가 부를 때 맛있게 생긴 케이크를 보면 위 속의 내용물을 샘창자로 보내고, 위 속에 새로운 공간을 만든다는 것이 실험에 의해 증명되었다. 요컨대 이 공간이야말로 「배가 따로 있는 공간」인 것이다.

그럼, 어떤 기적으로 이렇게 되는 것일까?

뇌의 시상하부에는 식욕을 조절하는 섭식중추라는 부분이 있다. 케이크 등을 보고 「맛있다」고 느끼면 거기에서 오렉신(orexin)이라는 신경펩티드 호르몬이 분비된다. 그 오렉신(orexin)의 작용에 의해 위나 소화관의 운동이 활발해 지고 꿈틀운동에 의해 위의 내용물을 샘창자로 보낸다. 그러므로 위 속에 새로운 공간이 만들어 진다(**그림 1**).

오렉신(orexin)은 식욕만 관여하는 것은 아니고 수면·각성에도 관련되어 있다. 원래 섭식 행동과 수면·각성은 깊은 관련성이 있다. 야생 동물인 경우 공복 시에는 각성 레벨을 올리고 먹이를 찾는 섭식행동을 할 필요가 있다. 졸린 눈으로는 먹이조차 발견할 수 없을 것이다. 결국 오렉신(orexin)은 식사와 수면과 관련된 신경펩티드 호르몬이다.

그림 1 오렉신(orexin)의 작용

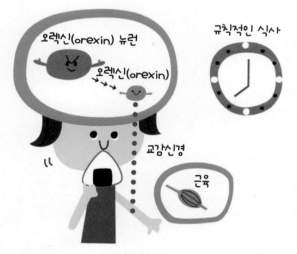

① 오렉신(orexin) 뉴런(신경)이 활성화되어 오렉신(orexin)을 방출한다.
② 오렉신(orexin)은 근육에 작용하는데 근육에서의 당의 이용을 촉진한다.
③ 이때 인슐린 분비에 영향을 받지 않고 혈당치가 상승하는 것이 억제된다.
오렉신(orexin) 신경이 활성화되는 것은 미각자극(맛을 보는 것)과 섭식에의 기대감(규칙적인 식사를 하는 것)에 의해서 「그 시간에 식사를 할 수 있다」는 것과 관계있다.

memo

Q13 먹고 나서 변으로 나오기까지 어느 정도의 시간이 걸릴까?

A 24~72시간 걸린다.

음식을 먹고 변으로 나올 때까지 도대체 어느 정도의 시간이 걸릴까? 음식(고형물)이 인체 안에서 소화되어 가는 과정과 함께 설명하겠다.

먼저, 입 안을 보자. 음식물은 저작(씹어서 작게 만드는 것)되고 침과 섞인다. 침 속에는 프티알린 (ptyalin)이라는 소화효소가 있는데 전분을 분해한다. 그리고 식도를 통해서 위에 도달한다. 씹는 시간은 사람에 따라 다르지만 음식을 삼키고 나서 위에 도달하기까지의 시간은 30~60초이다.

위 속에서 음식물은 위산과 섞여 미즙이라 불리는 유동성 상태로 된다. 또, 펩신에 의해서 단백질이 분해된다. 그 후 샘창자로 보내지는데 보통의 고형물일 경우 1~2시간 정도, 지방분이 많은 경우 3~4시간에 걸쳐 샘창자에 도착한다.

샘창자에서 본격적인 소화가 이루어진다. 요컨대 이자에서 분비되는 이자액, 간장에서 만들어지는 쓸개즙, 그리고 샘창자 자체에서 분비되는 장액, 이들 중에 함유된 소화효소에 의해서 3대영양소인 당질은 포도당 등으로, 단백질은 아미노산으로, 그리고 지방은 지방산 등으로 분해되어 흡수된다. 샘창자에서 빈창자·돌창자로 내려감에 따라 영양소의 분해·흡수가 마무리되고 12~15시간 후에는 큰창자로 보내진다.

큰창자에서는 수분이나 전해질, 비타민 등의 흡수가 이뤄진다. 오름잘록창자부터 가로잘록창자까지는 대부분의 수분이 흡수되고 내림잘록창자부터 구불잘록창자까지는 고형화한 분변이 된다. 그리고 곧창자로 보내져 항문으로 배출된다. 여기까지 걸리는 시간, 즉 음식을 입에 넣고 변으로 배출되기까지 걸리는 시간은 24~72시간이다(**그림 1**).

그림 1 **음식물의 이송에 걸리는 시간**

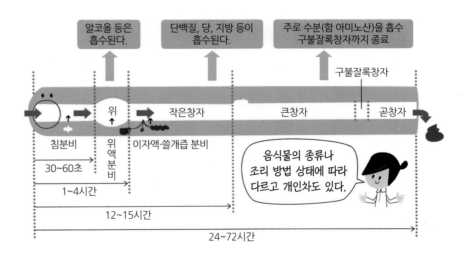

용어 구불잘록창자(S상 결장, Sigmoid colon)

Q14 작은창자는 길이가 긴데도 어떻게 꼬이지 않고 뱃속에 들어가 있을까?

A 창자간막에 매달려 있어서 이동하거나 꼬이지 않고 뱃속에 들어가 있다.

위 다음의 소화기관인 작은창자는 인체에서 가장 긴 장기인데 샘창자, 빈창자, 돌창자로 구성되며 그 끝은 큰창자로 이어진다. 작은창자는 직경 약 4cm이고, 길이는 작은창자 자체의 근육 수축에 의해 줄어 있어서 3m 정도 되지만 뻗으면 약 6m나 된다. 그 가늘고 긴 관모양의 장기가 어떻게 얽히지 않고 뱃속에 정확하게 들어앉아 있는 걸까?

뱃속(복강내)에 있는 소화관 중 대부분은 창자간막이라고 불리는 막구조물에 매달려 있다. 이 창자간막의 역할은 소화관의 위치를 정하고 소화관의 운동이나 체위변경을 해도 장 등이 얽히지 않도록 하는 것이다. 결국 창자간막 덕분에 긴 작은창자는 뱃속에 정확하게 들어 앉아 있다. 만약 이 창자간막이 없다면 장은 중력에 의해서 아래로 처질 것이다.

작은창자는 음식물을 소화시켜 영양분을 흡수하는 곳이다. 영양분의 약 90%가 작은창자에서 흡수된다. 작은창자의 내측에는 돌림주름이라 불리는 약 800개의 주름이 있는데 이 주름은 음식물로 꽉 차더라도 없어지지 않는다. 또 작은창자의 내측에는 창자융모라는 많은 돌기가 있다. 게다가 그 표면에는 미세융모가 나있다. 영양분은 이들 융모에 의해 흡수된다**(그림 1)**. 만약 작은창자가 매끄러운 관이라면 그 흡수면적이 0.33m² 정도 되겠지만, 돌림주름이나 융모에 의해 그 흡수면적은 눈에 띄게 증대하여 약 200m² (약 60평)나 된다. 이것은 테니스코트와 비슷한 크기이다.

그림 1 소화관과 작은창자벽

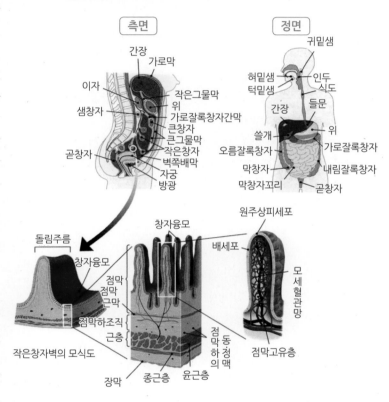

 작은그물막(소망, lesser omentum), 가로잘록창자간막(횡행결장간막, transverse mesocolon), 큰그물막(대망, greater omentum), 오름잘록창자(상행결장, ascending colon), 가로잘록창자(횡행결장, transverse colon), 내림잘록창자(하행결장, descending colon), 돌림주름(윤상주름, circular fold), 창자융모(장융모, intestinal villi), 원주상피(columnar epithelium), 모세혈관그물(모세혈관망, capillary network), 점막고유층(lamina propria mucosae)

Q15 왜 변비에 걸리는 걸까?

A 변비의 원인은 여러 가지가 있는데
식생활의 문제, 운동부족, 정신적 스트레스 등이 있다.

변비는 변이 나오지 않는 상태인데 의학적으로는「큰창자 내의 분변통과가 늦어지는 상태」를 변비라 한다.

변비는 크게 네 개로 나눌 수 있다**(그림 1)**. 하나는 장관의 유착, 큰창자·곧창자암 등의 소화관 장해에 따라 일어나는「기질성 변비」, 두 번째는 배변의 기제 장해에 따라 일어나는「기능성 변비」, 그리고「증후성 변비」와「약물성 변비」이다.

기능성변비가 가장 많으므로 여기에서는 기능성 변비에 관해서 상세하게 설명하겠다.

기능성 변비는「급성 변비」와「만성 변비」로 나누고 만성 변비는 다시「식사성 변비」,「곧창자성(습관성) 변비」,「이완성 변비」,「경련성 변비」의 네 개로 분류할 수 있다.

급성변비는 식생활의 변화나 정신적 스트레스가 원인인데 일시적으로 변비가 된 경우를 말한다. 그에 비해 만성 변비는 장기적인 큰창자의 기능 이상에 의해 일어난다.

만성 변비 중 식사성 변비는 섬유질이 적은 편식이나 먹는 양이 극단적으로 적으면 장벽에 적당한 자극이 잘 일어나지 않아 발생되는 변비를 말한다.

곧창자성 변비는 변을 보고 싶지만 참기를 여러 번 반복했을 경우에 배변 반사가 둔해지므로써 변이 항문 근처까지 와있는데도 나오지 않는 변비이다.

이완성 변비는 주로 복근력이 저하되어 변을 내보내는 힘이 전체적으로 약해졌거나 장운동이 나빠진 것이 원인이 되어 일어나는 변비이다. 고령자나 임신경험자에게 많이 나타나는데 최근에는 젊은 여성에게서 증가하고 있다.

경련성 변비는 장이 경련 상태가 되어 대변의 흐름이 원활하게 이뤄지지 못해서 일어나는 변비이다. 매일의 스트레스나 수면부족 등으로 장이 과민하게 반응하기 때문에 일어난다.

변비 해소의 포인트는 규칙적인 생활, 섬유질음식을 많이 섭취하는 등 식사 개선, 운동 부족 해소, 스트레스 해소 등을 들 수 있다.

그림 1 변비의 분류

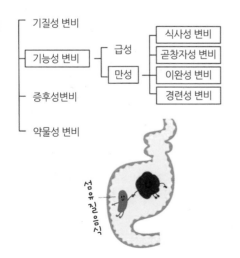

		식사성 변비	곧창자성(습관성) 변비	이완성 변비	경련성 변비
기능성변비의 종류					
원인 등		섬유소가 적은 편식 소식	여러번 반복되는 배변욕구 억제, 설사제나 관장제의오·남용(기능성변비의 대부분 차지, 여성에게 많다)	큰창자의 긴장저하·운동둔화(장내용물의 통과가 늦고 수분을 너무 많이 흡수)	스트레스나 자율신경의 불균형 특히 부교감신경의 과도한 긴장에 의함(때로 설사와 교대로 일어남)
		장벽에 자극이 잘 일어나지 않음	곧창자의 감수성이 저하되어 분변이 내려와도 곧창자가 잘 수축하지 않아 배변욕구가 잘 일어나지 않는다.	복근력의 약함(배변시 복압을 주기 힘들다)〈노인이나 허약체질자·장기요양자·출산 후의 여성에게 많다.〉	잘록창자에 경련이 일어나 좁아지고 변이 통과하는데 방해를 받아, 곧창자로 들어가는데 시간이 걸림
개선법		• 식사를 규칙적으로 한다. • 섬유질이 많은 야채나 과일을 많이 먹는다.	• 아침식사를 충분히 한다. • 아침에 화장실 갈 시간을 충분히 갖도록 한다.	• 섬유질이 많은 음식을 먹는다. • 적당한 운동을 한다.	• 정신적 여유를 갖는 생활 • 향신료·자극이 강한 음식은 피한다(경련성 변비라도 현재는 섬유질이 많은 음식을 먹는다).

堺章 : 눈으로 보는 몸의 메커니즘[目でみるからだのメカニズム]. 의학서원. 도쿄, 2002: 26.에서 인용.

기질성 변비
기능성 변비 ─ 급성 ─ 식사성 변비
                      ─ 곧창자성 변비
              만성 ─ 이완성 변비
                      ─ 경련성 변비
증후성변비
약물성 변비

Q16 변비는 왜 여성에게 많은 것인가?

A 여성 특유의 신체적인 구조나 호르몬 작용 때문이다.

일반적으로 남성보다는 여성이 변비로 고생하는 사람이 많다. 그렇다면 왜 변비는 여성에게 많은 걸까?

그 첫 번째 이유는 남성과 여성의 구조적인 인체의 차이에 있다. 여성은 남성에 비해 골반이 넓기 때문에 장이 골반 속에 파묻히기 쉬워 구불구불 느슨한 상태로 있게 된다(**그림 1**). 작은창자까지는 수분이 많이 함유되어 있지만 큰창자에서 그 수분이 흡수되어 변이 형성된다. 장이 느슨하면 그만큼 변이 큰창자를 통과하는데 시간이 걸리고, 통과 시간이 길면 길수록 수분

이 많이 흡수되어 변이 딱딱해지는데 그러므로써 점점 통과하기가 어려워진다. 또 골반 하부에 자궁이 있어서 그 영향으로 변이 통과하기 어렵다.

그 밖에도 여성은 남성에 비해 배 근육 등의 근력이 약해서 변을 배출하는 힘이 약한 것도 원인 중의 하나이다.

또한, 호르몬 작용이 있는데 여성은 임신 초기나 월경 전에는 변비에 걸리기 쉬운 경향이 있다. 이것은 황체호르몬이 원인이다. 황체호르몬은 임신 초기나 배란 후에 많이 분비되는 호르몬으로 이 호르몬의 작용 중하나가 장관 내에서 수분의 흡수를 촉진시키는 것이다. 또 큰창자의 꿈틀운동을 억제하는 작용도 있기 때문에 변이 통과하기가 힘들다.

이처럼 인체의 구조적인 차이나 호르몬의 작용 등 여성 특유의 원인으로 남성보다 여성에게서 변비가 많다.

그림 1 여성의 골반

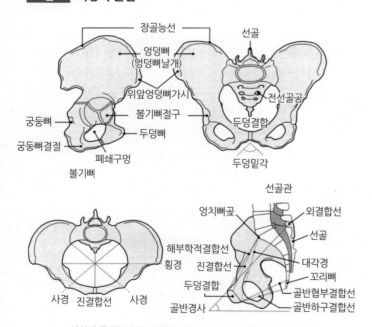

여성의 두덩밑각은 남성보다 넓고 소골반(진골반)의 입구가 넓다.

용어 장골능선(장골능, iliac crest), 엉덩뼈(장골, ilium), 선골절(linear fracture), 위앞엉덩뼈가시(상전장골극, anterior superior iliac spine), 볼기뼈절구(관골구, acetabulum), 두덩뼈(치골, pubic bone), 궁둥뼈(좌골, ischium), 궁둥뼈결절(좌골결절, ischial tuberosity), 폐쇄구멍(폐쇄공, obturator foramen), 볼기뼈(관골, hip bone), 엉치뼈곶(천골갑, sacral promontory), 꼬리뼈(미골, coccyx), 두덩결합(치골결합, pubic symphysis), 두덩밑각(치골궁각, subpubic angle), 진골반(소골반, true pelvis)

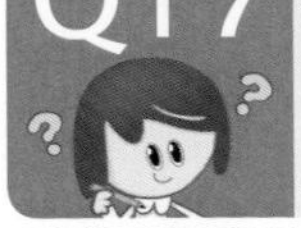

Q17 요구르트는 왜 장에 좋은가?

A 요구르트에 함유되어 있는 세균이
장내 세균의 균형을 맞춰주기 때문이다.

큰창자 속에는 약 100종류, 100조 개의 장내세균이 생식하고 있다. 이 장내세균은 유용균과 유해균으로 분류된다.

유용균은 장의 꿈틀운동을 활발하게 해서 변통을 좋게 한다. 또, 유산이나 초산 등의 유기산을 생산하고 유해균의 증식을 억제해 장내세균의 균형을 맞춰 면역력을 높이는 역할을 한다(그림 1).

한편, 대장균이나 웰치균(welch's bacilus)으로 대표되는 유해균은 음식물 찌꺼기의 부패를 촉진시키고 악취의 원인이 되는 가스를 발생시키는데 변비나 설사 등의 원인이기도 하다. 또한, 발암성 유해물질도 발생시킨다.

결국, 장에 있어서 균형 있는 장내환경이란 유해균보다 유용균이 우위에 있는 환경을 말한다. 그러나 노화나 항생물질의 사용 등으로 이 균형은 무너지기 쉽다(그림 2).

요구르트 안에는 유용균인 비피더스균이나 유산균 등이 함유되어 있기 때문에 이것의 섭취는 균형있는 장내 환경을 만드는 데 도움이된다.

최근에는 산에 대한 저항력을 높여 살아있는 채로 위를 통과해 장에 도달하는 유산균(프로바이오틱스)을 함유한 요구르트나, 유용균에만 영양원으로써 이용되는 올리고당을 함유한 요구르트 등, 기능성 식품으로써 많은 제품이 개발되어 실용화되고 있다.

그림 1 장내세균(유용균)의 주요 역할

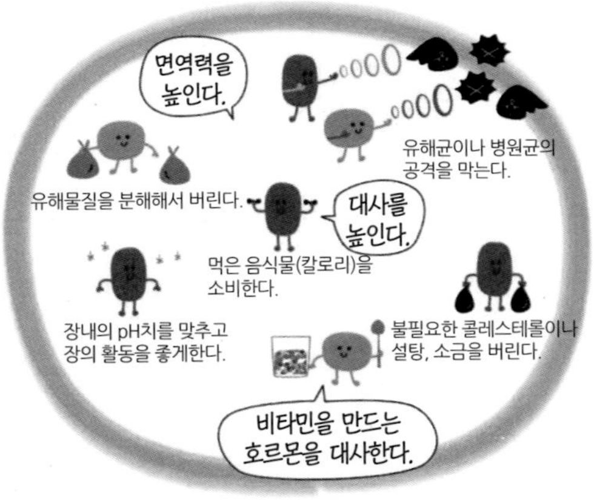

면역력을
높인다.

유해균이나 병원균의
공격을 막는다.

유해물질을 분해해서 버린다.

대사를
높인다.

먹은 음식물(칼로리)을
소비한다.

장내의 pH치를 맞추고
장의 활동을 좋게한다.

불필요한 콜레스테롤이나
설탕, 소금을 버린다.

비타민을 만드는
호르몬을 대사한다.

http://www.e-cocuss.com/saikinschool/what.htm/를 참고로 작성

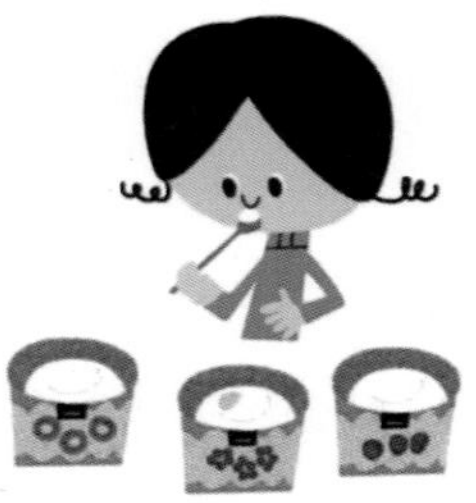

그림 2 연령과 함께 바뀌는 장내세균양

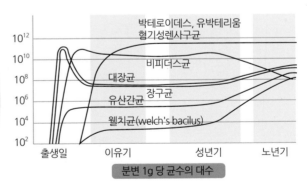

분변 1g 당 균수의 대수

光岡知足 : 腸内フローラと食餌ワナナイト説明資料の図을 바탕으로 작성

memo

Q18 방귀의 정체는 무엇인가?

A 방귀는 장내에서 음식물이 분해·발효될 때 발생하는 장내가스이다. 고기 등의 단백질을 많이 먹은 경우는 냄새가 고약하다.

큰창자의 구조를 **그림 1**로 나타냈는데 큰창자 속에는 약 100종류, 100조 개의 장내세균이 존재한다. 이들 장내세균이 음식물 찌꺼기를 분해하고 발효시킬 때 발생하는 가스를 장내가스라고 한다.

이 가스의 대부분은 장관에서 흡수되는데 흡수되지 못 한 나머지가 항문을 통해 배출된다. 이것이 방귀의 정체이다. 다만, 장내에서 발생한 가스는 방귀의 3할 정도이고 나머지 7할은 식사나 침을 삼킬 때에 입으로 들어간 공기이다. 공기도 무의식적으로 먹게 된다.

방귀에는 고약한 냄새의 방귀와 그다지 냄새가 심하지 않은 방귀가 있다. 그럼, 어째서 냄새에 차이가 있는 걸까?

이것은 음식과 관계가 있다. 탄수화물을 많이 먹은 경우 장관가스의 주성분은 탄산가스나 메탄이고, 이것은 그다지 냄새가 심하지 않다. 그러나 고기 등의 단백질을 많이 먹은 경우에는 인돌, 암모니아, 황화수소 등이 많이 발생하는데 악취가 나는 방귀의 원인이 된다.

그림 1 **큰창자의 구조**

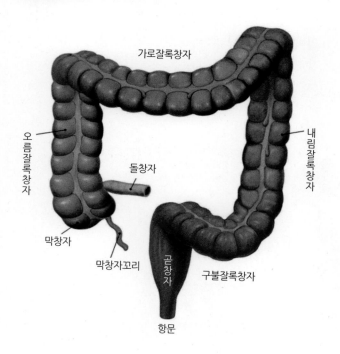

· 큰창자는 작은창자보다 두껍고 길이는 1.5m 정도 된다.
· 잘록창자는 큰창자의 대부분을 차지하고 오름·가로·내림·구불잘록창자의 네부분으로 나뉜다.
· 우복부의 오름잘록창자→상복부의 가로잘록창자→좌복부의 내림잘록창자
  →구불잘록창자로 이어진다.
· 구불잘록창자는 골반내의 곧창자, 항문으로 이어진다.
· 막창자의 끝에는 막창자꼬리가 있다.

가스 발생이 쉬운 식품

 가로잘록창자(횡행결장, transverse colon), 오름잘록창자(상행결장, ascending colon), 내림잘록창자(하행결장, descending colon), 구불잘록창자(S상 결장, sigmoid colon), 돌창자(회장, ileum), 곧창자(직장, rectum), 막창자(맹장, cecum), 막창자꼬리(충수, appendix)

Q19 식사 직후에 달리면 왜 옆구리가 아픈 걸까?

A 큰창자의 지라굽이나 간굽이에 대량의 가스가 차서
신경을 자극하는데, 이것이 통증의 원인 중 하나이다.

누구나 식사를 한 직후에 달리기를 하면 옆구리가 아팠던 경험이 있을 것이다. 이것을 「side stitch(협복통)」이라고 하는데 어째서 옆구리가 아픈 걸까?

그 원인에 관해서는 여러 가지 설이 있다. 운동에 따른 장관의 허혈, 위 내용물의 배설지연, 장관이 부딪치는 데 따른 기계적인 자극, 호흡근의 혈류나 산소공급 부족, 복강내압 상승, 담도내압 상승 등이 원인으로 생각된다. 필시 둘 이상의 인자가 서로 관련이 있다고 생각되지만 아직까지도 잘 알려져 있지 않다.

그러나 최근에 하나의 원인이 밝혀졌다. 그것은 「큰 창자의 지라굽이나 간굽이에 대량의 가스가 차고 그것이 신경을 자극 한다」는 것이다. 달리는 동안 작은창자나 큰창자가 크게 흔들린다. 운동 시에는 장의 꿈틀운동이 억제되기 때문에 그에 맞춰 큰창자 내에 분산되어 있던 가스가 큰창자 윗부분의 지라굽이나 간굽이에

변의 신경을 자극하여 통증이 일어난다. 큰창자의 가스는 우측보다 좌측에서 많이 발생한다. 그러므로 좌측의 지라굽이에 가스가 많이 차서 좌측 옆구리가 아플 때가 많다.

옆구리의 통증은 「잠시 쉬면 없어진다」「자전거나 수영에서는 통증이 적다」「어릴 때 자주 일어나지만 어른이 되면 없어진다」 등의 사실이 역학적으로 명확하게 밝혀졌다. 앞서 말한 대로 생각해 보면 운동을 쉬면 장의 꿈틀운동이 재개되어 가스가 분산되고, 자전거나 수영 등으로는 장이 크게 흔들리지 않을 것이고, 또 자율신경기능이 발달하지 않은 아이들에게서 잘 일어난다는 역학적 사실의 이유도 설명할 수 있다.

달릴 때 일어나는 복통은 운동 선수에게서도 자주 일어난다. 대책으로써는 식사의 내용이나 먹는 시간을 연구하고 때로는 정장제 등을 사용하기도 한다.

달리는 것에 의해 작은창자나 큰창자가 흔들린다. 큰창자에 분산되어 있던 가스가 큰창자 윗부분의 지라굽이나 간굽이로 모인다.

용어 지라굽이(비만곡부, 왼잘록창자굽이, splenic flexure), 간굽이(간만곡부, 오른잘록창자굽이, hepatic flexure)

Q20 빨리 먹으면 살이 찐다는데 정말인가?
먹고 바로 자면 살이 찌는가?

A 빨리 먹는 것은 과식의 원인이 되기 때문에 살이 찔 가능성이 있다.
잠자기 전의 식사도 살이 찌는 원인이 된다.

식사를 하고 포만감을 얻는 것은 위가 찼다는 물리적 자극과 식사에 의해 혈당치가 상승하고 그것이 뇌에 있는 시상하부의 포만중추를 자극하기 때문이다. 식사를 시작하고 포만중추가 자극을 받기까지 걸리는 시간은 약 20분인데, 식사를 빨리 하면 포만감이 들기 전에 과식을 할 수 있다. 그 결과 살이 찔 수도 있다.

반대로 천천히 잘 씹어서 식사를 한 경우는 적은 양으로도 포만감을 얻을 수 있다. 또, 많이 씹으면 타액의 분비가 촉진되어서 소화를 돕는다. 평소에 과식에 주의하고 천천히 잘 씹어서 먹도록 하자.

그럼, 먹고 나서 바로 자면 살이 찔까?

식사를 한 후에 잠시 쉬는 것은 좋다. 음식이 위장에 들어가면 소화·흡수를 하기 위해 혈액이 위나 장으로 몰려간다. 식후 바로 운동을 하면 많은 혈액이 근육

으로 몰려서 좋지 않다. 더군다나 운동을 하면 교감신경의 작용에 의해 위의 활동이나 위액의 분비가 저하된다.

밤에 자기 전에 식사를 하는 것은 살이 찌는 원인이 된다. 생체리듬을 인식하는 체내시계를 조절하는 단백질이 세포내의 지방축적과 밀접한 관련이 있다는 것이 2005년에 밝혀졌다. 이 단백질은 BMAL 1(비말원)이라고 하는데 낮 동안에는 체내에서 거의 만들어지지 않고 오후 10시부터 오전 2시 사이에 만들어진다. 가장 적은 오후 3시경의 약 20배이다(**그림 1**). 「밤늦게 먹으면 살이 찐다」라는 구조가 분자레벨에서 해명된 것이다.

덧붙여서 「먹고 바로 자면 소가 된다」라는 말이 있는데, 이것은 예의를 중시하는 마음에서 나온 속담이다.

그림 1 **지방조직에 대한 BMAL 1 양의 개일주기**

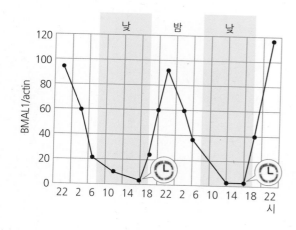

먹고 바로 누우면 소가 된다.

memo

Q21 인체속에서 가장 중요한 장기는?

A 무게 약 1.5 kg의 간장이다.

간장은 가로막 바로 밑 복부의 오른쪽 위에 위치하는 인체에서 가장 큰 장기로 그 무게는 약 1.5 kg이다.

간장은 크기 뿐만 아니라 기능면에서도 가장 많은 일을 하는 장기이기도 하다. 그 기능은 대사조절, 쓸개즙의 생산, 해독작용, 혈액응고작용, 조혈·괴혈 작용, 혈액량 조절 등 세세하게 분류하면 200가지 이상의 기능이 있다고 알려져 있다(그림 1).

간장은 체내의 대사의 중심인데 당대사, 단백대사, 지질대사, 비타민·호르몬대사를 하고 있다. 당대사로는 글리코겐의 합성·분해를 하는데, 필요에 따라서 포도당을 혈액에 공급하고 혈당을 조절한다. 단백대사로는 혈장알부민이나 피브리노겐을 생성하고 아미노산이나 단백질의 합성, 저장, 방출 등을 한다. 또,

지질대사로는 지방산을 분해하여 콜레스테롤을 생산한다. 비타민·호르몬대사로는 각종 비타민의 활성화와 저장을 한다.

하루에 500~800mL나 되는 쓸개즙을 생산하는데 해독작용으로는 혈액 속의 유독물질을 무독화하고 그 물질을 쓸개즙 속으로 배설한다. 혈액응고 작용으로는 피브리노겐이나 프로트롬빈을 생산해서 혈액응고에 관여하고 있다. 태아기에는 조혈작용이 있는데 생후에는 비타민 B_{12}를 축적해서 적혈구의 성숙을 돕는 한편, 오래된 적혈구를 파괴하는 작용도 갖고 있다. 또한, 혈액을 저장하고 출혈 시에는 혈액을 방출한다.

이와 같이 간장은 참으로 많은 기능을 갖고 있는데 마치 인체의 장대한 화학공장이라 할 수 있겠다.

그림 1 **간장의 위치와 주요 작용**

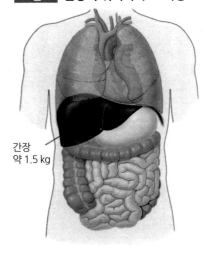

간장
약 1.5 kg

해독·배설기능
체내의 유독물질을 독성이 낮은 물질로 바꿔서 요나 쓸개즙으로 체외로 배출.
예) 단백질 분해로 생긴 암모니아는 독성이 낮은 요소로 변화되어 요속에 배출

쓸개즙의 생산
간세포에서 지방을 소화시키는 쓸개즙의 생성 간세포가 침입을 받거나 담도가 막히면 쓸개즙 배출이 안 되어 체내에 축적되는 황달이 된다.

대사기능
글리코겐의 합성과 분해
혈장단백질의 생성
지질대사
호르몬대사

아기의 조혈기능
태아기에는 간장은 적혈구를 생산한다.
이 적혈구에 포함된 헤모글로빈 F는 산소결합기능이 아주 강하다.

저장기능
지라와 함께 혈액을 저장
적혈구 생산을 위해 철을 저장
에너지원이 되는 지방, 글리코겐 저장
비타민 A, B_{12}, D의 저장

혈액응고작용
피브리노겐이나 프로트롬빈의 생산

memo

Q22 술에 강한지 약한지는 간장의 작용과 관계가 있는가?

A 간장의 해독작용과 관계가 있다.
이것은 개인차가 있어서 술에 강한 사람과 약한 사람이 있다.

여러분 주변에도 술에 강한 사람이 있는가 하면 술에 약한 사람이 있을 것이다. 왜 이런 차이가 있을까?

그것은 간장의 작용과 관계가 있다.

간장의 주요 작용은 영양소를 분해·합성하는 대사기능, 글리코겐 등을 축적해 놓는 저장기능, 지방을 소화시키기 위해 쓸개즙을 만드는 쓸개즙 생산기능, 인체에서 유해한 물질을 분해하는 해독기능이 있는데, 그 밖에도 혈액응고나 조혈·괴혈에 관여하는 등 실로 많은 기능을 갖고 있다.

술과의 관계에서는 해독기능이 가장 깊이 관여하고 있다. 위나 장에서 흡수된 알코올은 간장으로 운반되고 알코올은 탈수소효소라는 효소에 의해 아세트알데히드로 분해된다. 이 물질은 포르말린의 일종인데 인체에는 유해하다. 그래서 간장은 아세트알데히드 탈수소효소를 사용해 아세트알데히드를 초산으로 분해하고 다시 그것을 이산화탄소와 물로 분해한다(**그림 1**).

「취한다」는 원인 물질은 아세트알데히드이다. 즉 아세트알데히드를 분해하는 아세트알데히드 탈수소효소를 얼마만큼 갖고 있느냐에 따라 술에 강한지 약한지가 결정되는 것이다. 이것은 기본적으로 유전에 의존하는데 일본인은 구미인과 비교하면 이 효소가 적다고 알려져 있다. 개 중에는 갖고 있지 않은 사람도 많이 존재한다.

개인차는 있지만 맥주 큰 병 하나의 알코올을 분해하는데 약 3시간이 걸린다고 한다. 아세트알데히드 탈수소효소를 갖고 있는 사람도 간장이 처리할 수 있는 양 이상을 마시면 분해능력이 쫓아오지 못하고 취하게 된다. 또, 숙취는 다음날이 되어도 처리를 다 못 한 아세트알데히드가 일으키는 것이다.

그림 1 **알코올의 분해**

술에 강한 사람 　　　 술이 약한 사람 　　　 숙취

memo

Q23 간장은 왜 재생능력이 있는가?

A 아직까지 밝혀져 있지 않다.

간장은 수술로 70%를 절제해도 원래의 크기로 돌아올 정도의 재생능력을 갖고 있다. 쥐에 의한 실험에서 간장의 70%를 절제한 경우 약 1주일 만에 원래의 크기로 돌아온 경이적인 재생능력을 보였다. 현재 생체간이식이나 간암일 때 실시하는 간장절제술도 간장의 재생능력이 있기 때문에 하는 치료법이라 할 수 있다.

이 간장의 경이적인 재생능력은 다른 실질 장기에서는 볼 수가 없기 때문에 그 기제를 밝히기 위해 이전부터 많은 연구가 이루어져 왔다.

간장은 평소 정적인 상태라고 하는데 간장을 절제 또는 여러 가지 간장해가 일어나면 간장의 재생이 시작되어 폭발적인 증식능력을 발휘한다. 그리고 그 후 원래의 크기나 원래의 기능으로 돌아오면 재생을 중지하고 원래의 정적인 상태로 돌아온다. 최근에 연구에서 간세포 내의 단백질 또는 유전자레벨에서 정밀한 제어가 작용되는 것이 밝혀졌지만, 왜 절제로 인한 재생이 시작되고 그 후 간세포의 증식이 어떻게 일어나며 또 왜 재생이 중지되는지 아직 충분히 알려져 있지 않다.

그러나 현재 과학의 발달은 누구나 알고 있듯이 놀랄 만한 발전을 거듭해 왔다. 분명 머지않아 모든 것이 밝혀질 것이다.

그림 1 간장의 구조

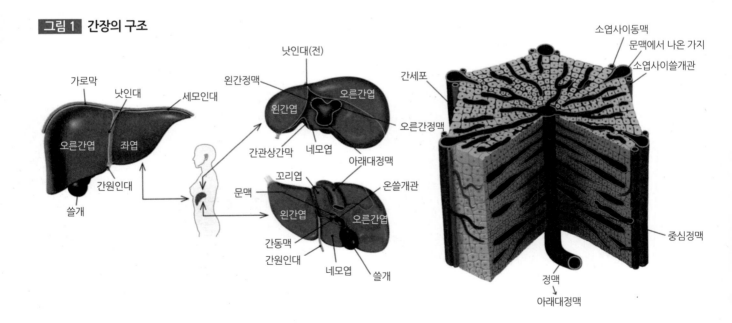

용어 낫인대(간겸상간막, falciform ligament), 오른세모인대(우삼각간막, right triangular ligament), 오른간엽(우엽, right hepatic lobe), 왼간엽(좌엽, left hepatic lobe), 간원인대(간원색, round ligament of liver), 왼간정맥(왼대정맥, left hepatic veins), 네모엽(방형엽, quadrate lobe), 간관상간막(ligamentum coronarium hepatis), 아래대정맥(하대정맥, inferior vena cava), 꼬리엽(미상엽, caudate lobe), 온쓸개관(총담관, common bile duct), 문맥(portal veins), 간동맥(hepatic artery), 소엽사이동맥(소엽간동맥, interlobular artery), 소엽사이쓸개관(소엽간담관, interlobular bile duct)

Q24 인체안에 돌이 생길수 있나?

A 쓸개에는 쓸개돌, 콩팥이나 요관에는
콩팥돌이나 요관돌이 생긴다.

쓸개나 쓸개관, 요로계인 콩팥, 요관, 방광 등에 돌이 생길 수 있다. 쓸개에 돌이 생긴 경우를 쓸개돌, 콩팥의 경우를 콩팥돌, 요관의 경우를 요관돌, 방광의 경우를 방광돌이라 한다.

이들 돌 중에서도 특히 많은 것이 쓸개돌과 요관돌이다. 여기에서는 쓸개돌에 관해 설명하겠다.

쓸개는 간장에서 만들어진 쓸개즙을 모으는 주머니 모양의 장기로 이곳에서 쓸개즙의 수분이 흡수되어 약 1/10 정도로 농축된다. 샘창자에 음식물이 도달하면 그 자극으로 샘창자에서 소화관호르몬이 분비되는데 그것을 신호로 쓸개가 수축 쓸개즙을 샘창자로 방출한다(**그림 1**). 덧붙여서 농축된 쓸개즙 색은 검은 색을 띄고 있는데 변의 색이 검게 보이는 것은 이 쓸개즙 때문이다.

쓸개즙의 성분은 쓸개즙산, 콜레스테롤, 빌리루빈, 인지질 등이지만 쓸개즙산은 지방분을 분해하는 성분이다. 그 이외의 것은 거의 불필요한 것으로서 체외로 배출되는데 실은 이것이 쓸개돌의 원인이 된다.

쓸개돌은 쓸개즙의 성분이 굳어서 생긴 돌로 콜레스테롤 계의 돌, 빌리루빈 계의 돌, 혼합계인 세 가지 타입이 있다. 쓸개즙 속의 콜레스테롤 비율이 높아지고 결정화되어 굳은 것이 콜레스테롤 돌이고, 빌리루빈 돌은 빌리루빈이 세균 등에 의해 석화된 것이다. 일본인에게는 콜레스테롤 돌의 비율이 높다.

쓸개 속에 쓸개돌이 생겨도 자각 증상이 없는 경우가 대부분이다. 그러나 쓸개돌이 쓸개의 출입구에 쌓이면 상복부에 아주 심한 통증이 일어난다.

그림 1 쓸개즙의 경로

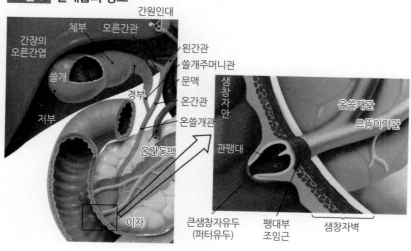

 오른간관(우간관, right hepatic duct), 쓸개주머니관(담낭관, cystic duct), 온간관(총간관, common hepatic duct),
온간동맥(총간동맥, common hepatic artery), 온쓸개관(총담관, common bile duct), 으뜸이자관(주췌관, main pancreatic duct),
온쓸개이자관팽대(담췌관팽대부, hepatopancreatic ampulla), 큰샘창자유두(대십이지장유두, greater duodenal papilla)

Q25 이자는 무엇을 하는 곳인가?

A 3대 영양소를 분해하는 소화효소를 함유한 이자액을 분비한다.
또, 혈당치를 조절하는 호르몬도 분비한다.

이자는 위의 뒤쪽(등쪽)에 있는 길이 15cm 정도의 가늘고 긴 장기로 두 가지 큰 역할을 맡고 있다**(그림 1)**.

하나는 3대영양소인 단백질, 탄수화물, 지방을 분해하는 소화효소를 함유한 이자액을 생산하고 분비하는 일이다. 이자에서 만들어진 이자액은 이자관을 통해 샘창자의 유두 쪽으로 운반되고 유두 목전에서 쓸개관과 합류하고 쓸개즙과 함께 샘창자로 방출된다. 이자액에는 중탄산나트륨도 포함되어 있어서 위에서 온 강한 산성인 미즙(음식물이 위액으로 녹아 유동성 상태로 된 것)을 순식간에 중화해 버린다. 성인은 하루 700~1,000mL의 이자액이 분비된다.

3대 영양소를 소화시키는 강력한 소화효소를 함유한 이자액은 왜 이자 자신을 녹이지 않는 걸까? 그것은 소화 효소가 이자에서는 활성화되지 않기 때문이다 즉 일을 하지 않기 때문이다. 그러나 알코올의 과잉섭취나 돌 등에 의한 온쓸개관의 폐쇄 등에 따라 효소가 활성화되고 자기 소화가 시작되어 염증을 일으킬 수 있다. 이것이 이자염이다.

이자의 또 하나의 중요한 역할이 혈당의 조절이다. 이자에는 란겔한스섬이라는 특수한 세포의 집합체가 있다. 거기에서 인슐린과 글루카곤이라는 호르몬이 분비된다. 인슐린은 혈액중의 포도당을 에너지원으로써 이용하도록 촉진하고 혈당치를 내린다. 한편 글루카곤은 간장에 축적되어 있는 글리코겐을 필요에 따라 포도당으로 변환시키고 혈당치를 올리는 일을 한다. 이들의 활동에 따라 혈당치가 조절된다. 식후에는 작은 창자로부터 많은 포도당이 흡수되기 때문에 혈당치는 높아지지만 인슐린이 활발히 분비되므로 1~2시간 후에는 내려간다. 이 시스템이 순조롭게 이뤄지지 않고 고혈당이 지속되는 것이 당뇨병이다.

그림 1 **이자의 활동**

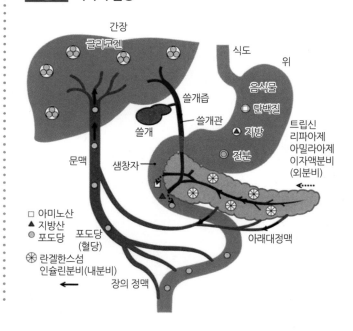

Q26 저영양상태(영양실조)인 어린이의 배가 나온 것은 왜일까?

A 복수의 저류와 지방간에 의한 간장의 비대가 원인이다.

저영양상태는 단백질의 결핍과 에너지의 결핍이 복합되어 일어나는데 쿼시오커(Kwashiorkor)와 마라스무스(Marasmus)라는 두 개의 타입으로 나눌 수 있다 **(그림 1)**.

쿼시오커는 극도의 단백질 결핍과 불충분한 에너지 섭취에 의한 것이다. 크게 부풀어 오른 배가 특징인데 아프리카나 동남아시아 등의 저개발국에서 2~3세의 소아에게 많이 볼 수 있다. 그 아이들은 충분한 단백질을 함유한 모유를 먹지 못하고 감자 등 탄수화물을 중심으로 한 엷은 죽을 주식으로 한다. 그래서 단백질이 부족하거나 결핍으로 나타난다. 단백질 결핍으로 저알

부민혈증이 되어 부종을 일으킨다. 그 이외에도 가는 모발, 이가 빠지는 증상이 나타난다.

크게 부풀어 오른 배의 원인은 두 가지가 있다. 하나는 복수의 저류, 두 번째는 지방간에 의한 간장의 비대이다. 영양상태가 나쁜데도 「지방간이?」라고 생각할지도 모르지만 간장에서 인체 전반으로 지질을 수송하는 아포리포단백질의 결핍에 의해 일어난다.

마라스무스는 만성영양불량이라고도 불려지는데 불충분한 영양섭취, 소위 기아에 근거한다. 장기간의 단백질과 에너지(칼로리)의 결핍에 의해 뼈대근이나 저장지방이 붕괴하기 때문에 체중감소가 두드러진다.

그림 1 **저영양상태**

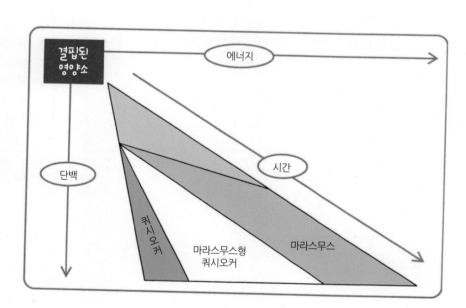

memo

Q27 우유를 마시면 설사를 한다. 이것이 우유 알레르기인가?

A 성인은 우유에 함유된 유당 분해 효소의 활성이 낮아 유당 분해 능력이 저하되며, 이로 인해 복통이나 설사를 일으킨다.

유당(락토스)은 우유에 포함된 당질인데 두 개의 단당류(갈락토스와 글루토스)에서 만들어진다. 유당은 유즙 이외에는 자연계에 존재하지 않는다. 성인에게 필요한 갈락토스는 간장의 글루코스로 만들어 지기 때문에 유당을 필요로 하지 않는다.

유즙 속의 유당은 작은창자의 빈창자점막상피에 존재하는 유당을 분해하는 효소(락타아제)에 의해 주로 분해되고 흡수된다. 이유기 이후에는 이 락타아제 활성이 급격하게 저하된다. 락타아제 활성이 낮은 사람이 우유를 마시면 유당이 분해되지 않은 채 큰창자로 넘어간다. 큰창자에서는 장내 세균의 활동에 따라 유당의 일부를 분해하여 유산, 초산, 기산 등의 유기산이 만들어진다. 이들 유기산이 장벽을 자극하기 때문에 복통이 일어난다.

또, 분해에 의해 생긴 가스는 복명, 복부팽만감이나 헛배 부름의 원인이 된다. 장내 세균에 의해 분해되지 못한 나머지 유당은 삼투압이 높아 장관에서 수분의 흡수를 방해한다. 반대로 장벽에서 수분을 빼앗아 장내용물을 묽게 만들어 설사를 유발시킨다.

우유를 마시면 복통을 일으키는 사람이라도 요구르트는 괜찮다는 사람도 있다. 요구르트의 유당은 유산균이 분해한다. 유산으로 바뀐 만큼 유당이 적어져서 먹어도 배가 아프지 않다.

락타아제의 활성은 14~15세에서 유아기의 약

1/10로 저하되고 이후 계속 낮게 활성화된다. 그러나 그 중에는 이유기 이후에도 우유를 계속 먹음으로써 우유를 마셔도 상관없는 사람이 있다. 습관에 의해 락타아제 활성을 유지하고 장내세균총의 변화가 유당의 적응을 가져와서 평생 복부불쾌감을 일으키지 않고 우유를 마실 수 있다. 이것은 인종에 따른 특징이기도 한데 유럽을 중심으로 한 우유를 마시는 습관을 가진 서양인이 여기에 해당된다.

이것은 가설이다

그럼 왜 유당은 우유에만 함유되어 있는 걸까?라는 질문을 받는다. 유당은 포유류의 우유 안에만 존재한다. 사람도 포유류다. 태어난 아이가 계속 모유를 먹으면 배란이 일어나지 않아 다음 임신이 안 된다. 또, 성장한 아이가 우유를 마시면 유당 분해효소의 활성이 저하되기 때문에 배가 아파서 우유를 마시지 않게 된다. 그래서 우유 대신에 부모가 먹는 것과 같은 음식을 먹지 않을 수 없다. 이것은 포유류에게 갖추어진 「이유(離乳)기구」가 아닐까. 포유류가 자손을 번식하도록 우유는 유당이라는 특별한 당질을 함유하여 생후의 일정기간만 아이가 먹을 수 있게 한 것은 아닐까?

memo

PART 3

뇌 · 신경

Q1 벼락치기로 외운 것은 금방 잊어버리는 것은 왜일까?

A 벼락치기로 획득한 기억은 「단기기억」인데,
하룻밤에 신경회로를 형성하는 것이 불가능해서 오래 시간이 지나도
잊지 않는 「장기기억」으로 남아 있을 수 없기 때문이다.

기억에는 금방 잊어버리는 「단기기억」과 계속 머릿속에 남아있는 「장기기억」이 있다. 단기기억은 시험 전날 벼락치기나 전화를 걸 때 번호를 외우는 일시적인 기억으로 시간이 지나면 잊어 버린다. 이것은 뇌의 중심부인 대뇌둘레계통을 구성하는 해마라는 부분에 보존된다. 장기기억은 자신이나 가족의 이름, 생년월일 등 반영구적인 기억을 말하는데 대뇌겉질의 연합영역(association area) 부분에 보존되어 있다**(그림 1)**.

그러나 이들 기억이 각각 다른 별개의 기억인 것은 아니다. 해마에 보존된 단기기억은 몇 번 더 기억해내는 것으로 대뇌겉질의 신경세포를 자극하게 되고 신경회로가 형성되어 장기기억이 된다. 또 기억을 불러일으킬 때는 외울 때 형성된 신경회로를 사용한다. 생각나지 않는다는 것은 모처럼 만들어낸 신경회로를 사용하지 않았기 때문에 신경회로의 연락이 쇠퇴해 버린 상태이다. 그래서 공부한 것을 머릿속에 남길 때는 반복해서 기억할 필요가 있다(의미기억). 매일 두뇌의 트레이닝이 필요하다고 할 수 있다.

의미기억에 감정이나 체험을 섞거나 기억해내는 실마리를 만들면 에피소드 기억이 된다. 이것을 시험공부에 이용하면 그 효과를 기대할 수 있다. 역사를 기억할 때 그 스토리나 인물이 생각하는 것들을 머리에 묘사하면서 공부하면 단순하게 연대나 사항을 외우는 것보다 쉽게 기억에 남는다(Q2참조).

그 밖에도 기억에는 여러 종류가 있다**(그림 2)**. 장기기억에는 진술적 기억과 비진술적 기억이 있는데, 진술적 기억에는 앞서 말한 의미기억과 에피소드 기억이 있다. 그리고 비진술적 기억에는 운동스킬이나 습관, 프라이밍 기억, 고전적 조건형성이 있다. 프라이밍 기억은 자신의 의식과는 관계없이 기억하는 기억이다. 자전거나 자동차 운전, 수영, 악기연주 등, 연습해서 인체가 기억하는 기억을 운동스킬이라 한다. 이들은 평형감각을 담당하는 소뇌에 보존된다. 그래서 인체가 기억하는 운동스킬은 몇 년이 흘러도 잊어버리지 않는다.

그림 1 기억이 보존되는 장소

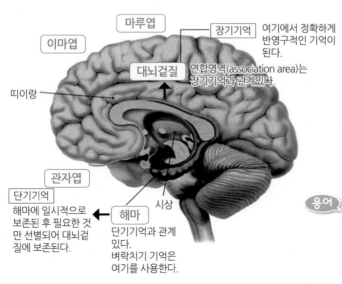

마루엽
이마엽
장기기억 — 여기에서 정확하게 반영구적인 기억이 된다.
대뇌겉질 — 연합영역(association area)는 장기기억과 관계있다.
띠이랑
관자엽
단기기억 — 해마에 일시적으로 보존된 후 필요한 것만 선별되어 대뇌겉질에 보존된다.
시상
해마 — 단기기억과 관계 있다. 벼락치기 기억은 여기를 사용한다.

그림 2 기억이 보존되는 장소

기억의 종류			관련된 뇌 부위
장기기억	진술적기억 (선언적기억)	의미기억	관자엽안쪽 사이뇌
		에피소드기억	
	비진술적기억 (절차적기억)	운동스킬,습관	대뇌바닥핵, 소뇌
		프라이밍기억	대뇌겉질
		고전적 조건형성	편도체, 소뇌
단기기억			

용어 둘레계통(변연계, limbic system), 이마엽(전두엽, frontal lobe), 마루엽(두정엽, parietal lobe), 대뇌겉질(대뇌피질, cerebral cortex), 띠이랑(대상회, cingulate gyrus), 관자엽(측두엽, temporal lobe), 해마(hippocampus), 사이뇌(간뇌, diencephalon), 대뇌바닥핵(대뇌기저핵, basal ganglion), 소뇌(cerebellum), 편도체(amygdaloid body)

Q2 기억력을 좋게 하려면 어떻게 하면 좋을까?

A 기억력을 좋게 하려면 「외우는 방법」「음식」「운동」을 잘 조화시켜 머리를 활성화시켜야 한다.

기억은 해마에서 일시적으로 보관(단기기억)하고 대뇌겉질에 신경회로가 형성되면 장기적으로 보존된다(장기기억). 대뇌겉질에 기억의 신경회로가 쉽게 생기게 되면 기억력이 좋아진다. 실제로 기억을 얻으면 신경세포간의 연락경로인 시냅스의 수가 증가하고 신경세포 끼리 복잡한 연계를 하게 된다. 기억을 보다 강하게 장기간 유지하기 위해서는 그들 신경세포간의 연계를 강하게 할 필요가 있다. 이를 위한 키워드가 「반복」「강조」「연관성」이다(**그림 1**).

최초의 키워드는 「반복」으로(의미기억), 누구나 경험이 있을 것이다. 영어 단어를 외우거나, 공식을 외우거나, 간호사를 목표로 하는 사람이면 해부학에서 뼈나 근, 혈관의 명칭을 외워본 경험이 있을것이다. 그때 종이에 몇 번씩 쓰거나 소리 내서 외우거나 했을 것이다. 단순하고 당연한 얘기지만 기억력향상에는 반복이 가장 중요하다.

두 번째의 키워드는 「강조」이다(에피소드기억). 자신에게 중요한 정보나 임팩트 있는 정보는 뇌에 자극

도 강해서 기억에 쉽게 남는다고 할 수 있다.

세 번째 키워드는 「연관성」이다. 여러 가지 사항끼리 연결해 두면 하나를 잊어도 다른 사항에서 잊어버린 사항을 생각해낼 수 있다. 기억력이 좋은 사람은 이런 방법을 구사하며 머릿속을 정리해서 기억을 장기적으로 보관한다. 그러니까 기억력이 좋은 사람이나 나쁜 사람이 머리의 구조가 다른 것은 아니다(**그림 2**).

또 음식에 의해서 기억력을 향상시킬 수 있다. 예를 들면 뇌의 에너지원인 포도당이나 신경에 많이 포함된다가 불포화지방산인 DHA(docosa hexaenoic acid)를 많이 섭취하면 뇌가 활성화되기 쉽다. DHA는 등푸른 생선에 많이 함유되어 있다. 당분은 단것만 먹는 것이 아니고 비타민 등 다른 영양소와 함께 먹으면 더욱 효과가 좋다.

또, 운동하는 것에 의해서도 머리가 활성화된다. 운동을 하면 당연히 혈행이 좋아지고 뇌로 가는 혈액도 증가한다.

그림 1 장기기억을 촉진시키는 조건

1. 반복 = 의미기억

2. 강조 = 에피소드기억

3. 연관성

그림 2 공부를 잘 하는 방법은 에피소드기억과 의미기억의 반복

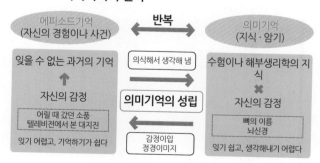

memo

Q3 점심을 먹고 나면 왜 졸린 걸까?
봄에 졸린 것은 왜일까?

A 하루의 신체 리듬 중에서 14시라는 것은 졸린 시간대이다.
또, 봄에 졸린 것은 생체의 식물성 기능의 활동을 조절하는 「자율신경」
의 교란과 관계가 있는 것 같다.

점심 식사를 한 후 특히 13~14 시쯤에 졸린 것은 두 가지 이유에서이다. 첫째 먹은 것을 소화시키기 위해 혈액이 위에 집중되기 때문에 그만큼 뇌로 혈류량이 적게 가기 때문이다(그림 1). 또, 생체 리듬으로써 가장 졸음이 오는 때가 아침 4시경과 오후 2시경이기 때문이다(그림 2). 그래서 오후 2시경은 배가 부르지 않아도 졸린 시간대이다. 일이나 공부의 효율을 높이기 위해서는 15분 정도 낮잠을 자는 것이 유효하다고 알려져 있다. 아침 4 시경은 새벽이라서 자는 것은 당연하지만 가장 졸음이 오는 시간대이기도 하다. 밤을 지새우는 데 있어서 가장 힘든 시간인 것이다.

봄에 졸린 이유는 아직 의학적으로 밝혀진 것은 아니지만 여러 가지 설이 있는 모양이다. 인체의 여러 가지 활동을 조절하는 「자율신경」의 교란과 관계가 있는 것으로 생각된다. 자율신경이란 자신의 의지와 관계 없이 인체을 조절하는 신경인데, 활동하는 신경인 「교감신경」과 쉬는 신경인 「부교감신경」으로 나뉘어 진다(그림 3).

추운 겨울 동안은 교감신경이 각 기관에 명령을 내려 체온의 방출을 막도록 조절하고 있지만 봄에는 따뜻해져서 겨울 만큼의 에너지는 필요 없다. 그래서 반대로 부교감신경이 이완된 상태를 만든다. 겨울에서 봄으로 계절이 바뀌는 시기는 낮과 밤, 매일의 기온 변동이 심하기 때문에 자율신경이 변화에 대응하기가 어려워져 균형에 혼란이 생긴다. 그런 이유로 봄에는 졸음이나 나른함 등의 증상이 발생하는 것으로 생각된다.

또한 봄이 되면 일조 시간이 길어져 졸음을 유발하는 신경전달물질인 멜라토닌의 분비가 활발해지는데 이것이 봄에 나타나는 졸음과 관련이 있는 것으로 생각된다.

그림 1 안정시의 혈액분비

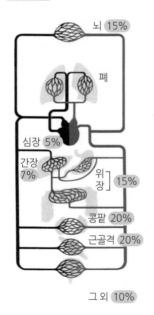

뇌 15%
폐
심장 5%
간장 7%
위장 15%
콩팥 20%
근골격 20%
그 외 10%

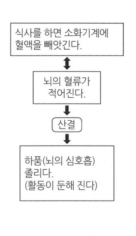

식사를 하면 소화기계에 혈액을 빼앗긴다.
↕
뇌의 혈류가 적어진다.
↓
산결
↓
하품(뇌의 심호흡) 졸리다.
(활동이 둔해 진다)

그림 2 졸음의 피크

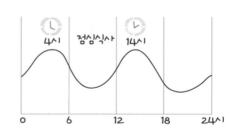

4시 점심식사 14시

0 6 12 18 24시

그림 3 자율신경 :부교감신경계통과 교감신경계통

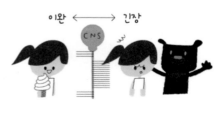

이완 ↔ 긴장
CNS

섭식과 생식
부교감신경

투쟁과 도피
교감신경

 부교감신경계통(부교감신경계, parasympathetic nervous system), 교감신경계통(교감신경계, sympathetic nervous system)

Q4 수업 중에 졸다가 가끔 흠칫 놀라는 것은 왜 그런 걸까?

A 얕은 잠에서 깊은 잠으로 들어갈 때
뇌가 혼란을 일으켜 근육을 움직이는 명령을 잘못 내리는
「저킹(jerking)」이라는 현상때문이다.

전차 안이나 수업 중에 꾸벅꾸벅 졸기 시작한 순간 「앗!」하고 높은 곳에서 떨어진 것 같은 충격을 받고 인체가 「흠칫」 하면서, 순간 현실로 돌아온 적이 있다. 난처해져서 주위를 둘러보면 놀란 눈으로 쳐다보거나 키득키득 웃어서 부끄러웠던 적이 있을 것이다. 또, 「흠칫」 한 순간 팔이 크게 움직여 옆에 사람이 맞은 일조차 있다.

이 「흠칫」하는 상태는 입면상태로 이행할 때에 뇌가 혼란을 일으켜 근육을 수축시키는 명령을 잘못 보내 발생하는 현상으로 「저킹」이라고 한다(**그림 1**). 정기적이고 약한 저킹은 평소의 수면 중에도 발생하는데 일반 사람도 하룻밤에 1~2회 느낄 수 있다. 저킹은 사지, 체간, 안면의 일부 근육이 불수의적 경련을 일으키는 것으로 미오크로누스(myoclonus)의 일종이다. 미오크로누스란 자신의 의지와는 관계없는 운동을 일으키는 불수의 운동의 하나인데 근육의 일부가 갑자기 불규칙적으로 수축하는 것을 말한다. 하나의 근육 일부분에 일어나는 것과 전신에 미치는 것 등이 있는데 간질, 뇌종양, 두부외상, 뇌혈관장해 등 중증의 병에서도 일어난다. 딸꾹질도 이에 해당되는데 가로막의 미오크로누스에 의해 일어나는 현상이다.

저킹은 피곤할 때나 무리한 자세로 책상에서 잠을 잘 때, 전차 안에서의 선잠 등에서 비교적 자주 일어난다. 이 현상은 건강에 해를 주는 것은 아니며, 또 병적인 현상도 아니므로 안심해도 된다. 그렇지만 선잠은 때와 장소를 잘 구별해야 한다.

그림 1 저킹

 **Column**

떨어지는 꿈

「꿈」을 꾸는 것 중에 공통적으로 많은 것이 「떨어지는 꿈」이다. 인류가 오래 전부터 나무 위에서 생활하던 「기억」이 뇌에 남아서 무의식중에 꿈이 되어 나타난 것이라고 했던가……. 이때 「흠칫!」하고 저킹이 일어나 눈을 뜬 건 아닐까.
똑같은 기억? 으로 바다의 「파도 칠 때의 소리」라는 게 있다. 거슬러 올라가면 사람은 바다에서 육지로 올라가 진화를 해 왔다. 이때의 기억이 사람의 뇌 어딘가에 있기 때문에 바다의 파도 소리를 들으면 심박수가 내려가 마음이 편안해 지는 게 아닐까……

memo

Q5 「엄마손은 약손」이라는데 효과가 있을까?

A 어머니의 애정에 의한 「처치효과」에 따라
정신적인 스트레스로부터 벗어나 안도감을 얻게 되면서
통증이 감소하는 효과를 기대할 수 있다.

아이가 넘어져 다리에 상처를 입었을 때 어머니가 아이의 통증을 달래기 위해 「엄마 손은 약손, 엄마 손은 약손」하고 부드럽게 말하면서 상처를 어루만지는 광경을 본 적이 있다. 신기하게도 아이가 울음을 그치거나 괜찮아 진 것을 보고 어머니의 애정이 가지는 힘은 대단한 것이라고 감탄했다. 여기에도 과학적인 의미가 있을까.

우선 환부에 손을 대는 것으로 정신적인 스트레스로부터 벗어나 안도감을 얻고 통증이 감소하는 「처치효과」를 기대할 수 있다. 통증이라는 증상은 심리적인 영향을 받기 쉬워 불안이나 고독감 등으로 증폭될 가능성이 있다. 거꾸로 「이렇게 해서 좋아 졌어」라는 안심을 주는 것으로 통증이 완화될 수 있는 것이다. 이러한 작용이 어머니의 애정에 의한 「처치효과」이다. 이 효과는 진통작용이 있는 뇌내 마약인 β-엔돌핀 분비에 의한 것으로 보고한 연구도 있다.

또한 「엄마 손은 약손」에는 환부를 마찰해서 피부나 주변 근육을 움직이는 과정이 포함되어 있기 때문에 혈관의 혈액수송(산소·영양분·노폐물·체온·수분의 운반)을 돕는 작용 및 혈류의 이상에 의한 증상(울혈이나 동맥경화·괴저)에 대한 효과도 기대할 수 있다. 즉, 피부를 문지르는 것으로 여러 가지 물질수송이 일어나는 마찰반사에서 유래하는 치료법이라고 생각할 수 있다(그림 1). 적절한 곳에 「엄마 손은 약손」을 계속 적용하므로 가벼운 혈류이상이 원인인 질병을 어느 정도는 치료가능하다고 할 수 있겠다.

또, 최신 연구에서는 문지르는 것으로 물리적인 자극을 받아들이는 센서(TRPV 2)를 자극하면 인간에게서도 신경의 돌기가 늘어나는 것을 알 수 있는데 이것이 신경의 재생을 촉진시킨다고 보고되었다. 「엄마 손은 약손」에는 신경재생을 촉진하는 무의식적인 의미가 들어있을 지도 모른다.

그림 1 신경세포에 대한 마사지 효과

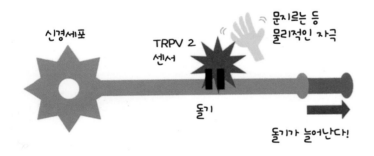

문지르는 등 물리적인 자극
신경세포
TRPV 2 센서
돌기
돌기가 늘어난다!

http://moriyama.com/node.2011.3.1 액세스의 그림을 원본으로 작성.

엄마 손은 약손~

memo

Q6 밤중에 자다가 「가위」에 눌리는 것은 왜 그런가?
인체 안에서 무슨 일이 일어나는 걸까?

A 가위는 램수면 시에 일어나는 수면마비이다. 이때 뇌는 깨어 있는 것과 같으나, 인체는 자고 있어서 근육이 이완되어 있기 때문에 인체가 간단하게는 움직이지 않는다. 이 상태를 「가위」에 눌렸다고 한다.

비몽사몽간에 깼는지 자는 것인지 모르는 상태인데 인체가 뭔가에 눌려 움직일 수조차 없고 묶여 있는 것 같은 상태가 된 경험을 한 적이 있다. 무서운 꿈을 꿨을 때 이런 일이 일어나면 꿈과 현실에 혼동이 와서 「유령을 봤다」든가 「귀신이 나를 누르고 있었다」라고 생각할 지도 모른다.

가위란 의학적으로는 「수면마비」라고 불리는 상태인데 렘(REM)수면 중에 일어나는 현상이다. 램수면이란 눈을 감은 눈꺼풀 밑에서 안구가 불규칙하게 움직이는 급속안구운동(REM : Rapid Eye Movement)이 일어나는 수면시기이다. 이 시기는 얕은 수면상태로 「꿈」을 꾸는 시기이다(**그림 1**). 램수면 상태가 되면 뼈대근의 이완이 일어나 인체을 전혀 움직일 수 없게 된다. 무의식중에 손발을 움직인다거나 돌아눕는 것도 하지 못한다. 물론 자고 있는 본인은 의식이 없어서 인체가 움직이지 않는 것을 알아차리지는 못한다. 그러나 깊은 수면에 빠지지 않는 등 여러 가지 원인으로 램

수면 시의 뼈대근이 이완된 상태로 의식만 깨어 있을 수가 있다. 그렇게 되면 뼈대근이 이완되어 있기 때문에 의식은 있는데 인체은 전혀 움직일 수 없는 상태가 되어 버린다. 이와 같은 상태를 가위에 눌렸다고 하는 것이다(**그림 2**).

한창 가위에 눌릴 때는 가슴의 압박감이나 숨쉬기 힘듦 등을 느낄 수 있다. 이것은 램수면 시에는 자율신경의 활동이 불안정해지고 혈압의 상승이나 심박수·호흡수의 증가 등이 나타나기 때문이다. 결코 귀신 등이 인체 위에 올라탄 것이 아니다.

램수면 중의 가위에 눌린 상태는 일반 수면과 비교하면 확실히 특수한 상태이지만 어디까지나 수면의 한 형태로 생각하는 것이 적절하다. 매일의 수면 중 몇 번이나 가위에 눌린 상태(뼈대근 이완 상태)가 되는데도 깨닫지 못하고 있을 뿐이다. 가위눌림이 유령에 의한 현상이라든가 귀신이 나왔다는 등으로 무서워할 필요는 없다.

그림 1 비램수면(NREM)과 램수면(REM)의 주기

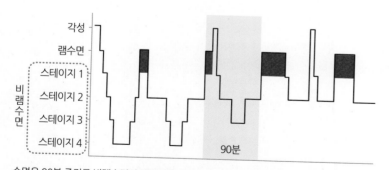

각성
램수면
스테이지 1
스테이지 2
스테이지 3
스테이지 4
비램수면
90분

수면은 90분 주기로 비램수면과 램수면을 하룻밤 사이에 몇 번씩 반복한다.

그림 1 가위눌림

memo

Q7 긴장을 하면 왜 배가 아플까?

A

긴장이나 스트레스에 의해 자율신경의 균형이 무너지면
장관신경에까지 영향을 주어서 꿈틀운동이 잘 이루어지지 않게 된다.
그래서 복통이나 설사가 일어난다.

스트레스나 온도 등의 자극에 의해 배가 아프고 설사나 변비를 일으키는 체질의 사람이 있다. 장검사를 해도 장에는 원인이 되는 병을 발견할 수 없을 경우 과민성장증후군일 가능성이 있다.

큰창자는 건강한 상태에서는 꿈틀운동을 통해(수분이 적당하게 흡수되어 변이 형성되고) 항문까지 원활하게 운반한다. 그러나, 뇌가 강한 스트레스를 받아 세로토닌이라는 신경전달물질의 분비가 증가하면 자율신경의 활동이 교란되고 장의 운동기능이 이상을 일으켜 변비나 설사를 유발하게 된다. 이것이 과민성장증후군이다. 이때 장의 통각이 예민해지기 때문에 외부로부터 오는 아주 작은 자극에 의해서도 복통이 잘 일어난다. 이것이 소위「스트레스성 장염」이다.

과민성장증후군인 큰창자는 경련을 일으킨 상태가 되어서 꿈틀운동이 잘 일어나지 않는다. 꿈틀운동이 한창일 때 장관이 이완된 상태에서 경련이 일어나면

변의 수분이 흡수되지 않고 그대로 배출되어 설사가 된다. 또 장관이 수축된 상태에서 경련이 일어나면 변의 이동이 나빠져서 변비가 된다.

과민성장증후군이 아니어도 긴장하면 배가 아픈 사람은 꽤 많이 있다. 시험이나 면접 등 긴장된 장소에서 배가 아프다는 경험은 누구라도 갖고 있을 것이다. 어째서 마음의 긴장이 장에 영향을 주는 것일까? 그것은 자율신경의 균형에 원인이 있다. 자율신경은 교감신경과 부교감신경으로 나뉘어진다. 교감신경은 활동을 부교감신경은 휴식을 관장한다. 그러나 이 균형이 스트레스나 긴장 등으로 무너지면 여러 가지 부위로 부정적인 영향이 미친다. 특히 교감신경은 꿈틀운동을 촉진하고 부교감신경은 촉진하는 신호를 장관신경으로 내보내는데 자율신경의 균형이 무너지면 이들 신호가 잘 이뤄지지 않아 설사나 변비가 일어난다(그림 1).

그림 1 과민성장증후군이 되기 쉬운 타입

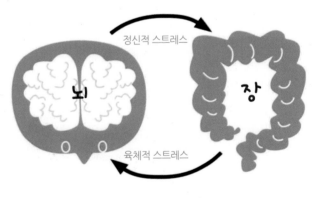

뇌와 장의 상관관계

□ 성실하고 완벽주의이다.
□ 꼼꼼하고 신경질적이다.
□ 위장이 약해서 자주 설사를 한다.
□ 식사는 야채를 싫어하고 편식을 한다.
□ 매운 것을 좋아한다.
□ 다른 사람에게 고민을 상담하지 않는다.
□ 남의 눈을 의식한다.
□ 작은 일로 자주 고민한다.
□ 감정의 기복이 심하다.
□ 뭔가 하지 않으면 불안하다.
□ 냉소적이다.
□ 염려와 걱정이 많다.

memo

Q8 꿈은 왜 꾸는 걸까?

A 그 날 얻은 정보를 꿈으로 재현하면서 대뇌에 고정화해서 정착시키는 거나, 소거해서 잊어버리는 것으로 생각된다.

수면 중에 꿈을 자주 꾼다는 사람과 좀체 잘 꾸지 않는다는 사람이 있다. 그러나 대부분의 사람은 매일 밤 꿈을 꾸지만 그것을 기억하지 못할 뿐이다.

수면에는 두 가지 종류가 있다. 그것은 램수면과 비램수면이다(Q6, p57 참조). 램수면 중의 뇌파는 깨어있을 때와 같은 파형을 하고 있다. 즉, 인체는 휴식 중이고 뇌는 활동 중인 얕은 수면상태이다. 한편, 비램수면은 뇌가 휴식 중이기 때문에 꿈을 꾸지 않는다. 호흡이나 맥박도 안정되어 있다. 그러나 인체 근육의 긴장은 유지되어 있어서 돌아눕는 것은 이 수면일 때 일어난다. 비램수면은 뇌의 휴식을 위한 수면이라 할 수 있다.

램수면과 비램수면은 교대로 나타나고 약 90분 주기로 4~5회 반복한다. 그래서 하룻밤에 4~5회는 꿈을 꾸게 된다. 그러나 대부분은 잊어버리고 기억하는 것은 눈뜨기 전의 마지막 램수면 때에 꾼 꿈이라고 한다. 램수면 때에는 뇌의 기억중추가 있는 대뇌둘레계통과 해마나 시각중추가 있는 대뇌겉질 뒤통수엽이 활동하는데 과거의 기억을 기본으로 해서 여러 가지 시각이미지(영상)를 만들어 낸다고 생각된다**(그림 1)**. 다만 수면 중에는 논리적인 사고를 담당하는 대뇌겉질 이마연합영역이 활동하지 않으므로 정보가 정리되지

않고 지리멸렬한 꿈을 꿀 때도 자주 있다.

꿈을 꾸는 이유는 아직 확실히 알려져 있지 않다. 일설에는, 체험하거나 학습해서 얻은 정보는 일시적으로 해마에 저장되는데 그 정보를 꿈으로 재현하면서 대뇌에 고정화해서 정착시키거나 소거해서 잊어버리는 것으로 생각된다. 수면 시간이 길면 당연히 램수면도 길어지고 정보 정리에 사용할 수 있는 시간이 길어진다. 스트레스의 원인이 되는 유쾌하지 않은 일이 있을 때도 하룻밤 자고 일어나면 싹 잊게 되는 것은 램수면 동안에 그런 불유쾌한 정보는 자신이 즐겁게 살아가기에 필요치 않다고 뇌가 판단을 하고 기억에 정착시키지 않게 하기 때문일 수 있다.

그림 1 **꿈을 꿀 때의 인체의 상태**

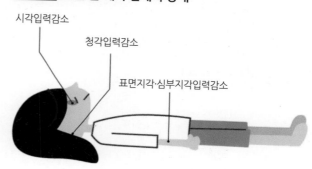

시각입력감소
청각입력감소
표면지각·심부지각입력감소

memo

Q9 양반 다리를 하면 왜 발이 저린 걸까?

A 양반 다리를 하면 혈관이 압박을 받아
혈류가 나빠지고 말초신경에 필요한 산소가 부족하게 된다.
그래서 말초신경에 이상전류가 흘러 「저린다」고 느끼는 것이다.

장시간 동안 익숙치 않은 양반 다리를 하면 다리가 저려 일어설 수가 없다. 이런 경험은 누구나 있을 것이다. 양반 다리의 저린 증상에는 말초신경이 관련되어 있다. 양반 다리를 했을 때 무릎 아래의 부위에서 혈관이 압박을 받아 혈액의 흐름이 나빠진다. 따라서 말초신경에 필요한 산소가 부족하게 된다. 게다가 피부에 가까운 말초신경은 인체의 무게에 의해 직접압박을 받는다.

이런 상태가 계속 되면 지각을 전달하는 말초신경의 기능이 저하되고 거기에 이상전류가 흐르기 시작한다. 이 전류가 저림의 원인이다. 결국, 저림은 다리의 말초신경이 이상을 알리는 생체 방어반응인 셈이다(그림 1).

「아프다」「뜨겁다」「만지다」등의 감각과 「저림」을 느끼는 기전은 다르다. 장시간 양반 다리를 하고 있으면 「뜨겁다」「만지다」등의 감각을 전하는 감각신경이 점점 약해지고 거기에 이상전류가 흐르기 시작한다. 그리고 최종적으로 감각을 전할 수 없게 되고 「저림」으로 인식된다.

이 상태가 계속되면 운동신경도 기능이 저하되어 다리를 움직이기 힘들게 된다. 전날 밤에 계속 팔베개를 해주었기 때문에 생기는 허니문증후군이나, 벤치 등받이에 겨드랑이 사이를 끼우는 듯한 자세를 오래 했을 때, 전차에서 좌석 옆의 기둥에 팔을 대고 한참을 잤을 때, 노신경의 압박으로 생기는 노신경마비도 양반 다리를 했을 때 일어나는 저림과 똑같은 이유에서 생긴다.

그럼, 어떻게 하면 저리지 않고 양반 다리를 계속할 수 있을까? 다리 한 군데에 체중이 실리지 않게 앉아 있으면서 자주 발을 움직인다. 예를 들면 양쪽의 엄지 발가락을 겹치고 때때로 상하를 바꾸면 혈류가 회복되고 저린 증상이 잘 일어나지 않는다.

그림 1 저린 증상의 기제

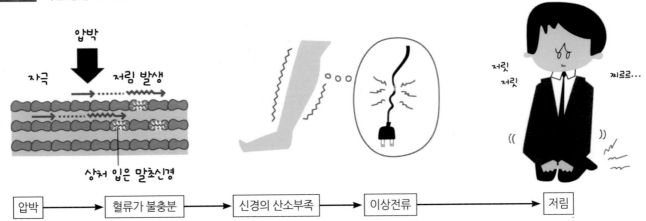

| 압박 | → | 혈류가 불충분 | → | 신경의 산소부족 | → | 이상전류 | → | 저림 |

Q10 빙수를 한번에 먹으면 왜 머리가 아픈 걸까?

A 「차갑다」라는 자극을 「아프다」라는 자극으로 잘못 느껴서 본래의 고통이 있는 부위와는 다른 인체의 부분이 아프다고 느끼기 때문이다.

빙수를 한꺼번에 먹으면 몇 초 있다가 관자부위에 두통이 일어난다. 찌르는 듯하고 뇌가 얼어버릴 것 같은 때로는 맥이 뛰는 듯한 두통인데 심할 때는 10~30초 동안 지속된다. 그 원인으로 두 가지 설이 있다.

하나는 머리 혈관에 염증이 생겨 실제로 통증이 일어난다는 설이다. 「차갑다」는 강한 자극이 원인이 되어 머리 혈관에 가벼운 염증이 일시적으로 일어난다는 것이다. 염증이 일어나려면 시간이 걸리기 때문에 먹은 후 수십 초 정도의 시간이 경과한 후에 아픔이 발생하는 시간차를 잘 설명해 준다.

또 하나는 신경에 다른 정보가 전달되기 때문이라는 설이다. 빙수를 한꺼번에 먹으면 목의 감각신경이 자극을 받는다. 이 자극을 인식하는 것은 세포표면에 있는 수용기-수용기(receptor)이다. 원래 차가움을 느끼는 수용기와 아픔을 느끼는 수용기는 별개이다. 각각의 감각은 서로 다른 수용기로 신경섬유를 거쳐 뇌에 신호가 전달된다. 일반적으로 이렇게 서로 다른 종류의 감각은 각각 따로 식별되어 뇌로 전달되지만, 목 부위와 머리 부위는 차가운 감각과 아픈 감각이 동일한 경로를 지난다. 대부분의 경우 두감각이 별도로 따로 인식되지만 갑자기 강한 자극이 가해진 경우 감각 신호의 전달에 혼선을 일으킨다. 즉, 목 안 전체가 너무 차가운 자극을 받으면 아픈 것으로 착각한다. 그 통증은 뇌줄기의 삼차신경핵에 전달된다. 이 자극이 뇌에 전달되는 도중에 관자놀이나 머리에서 오는 신경,

귀에서 오는 신경과 혼선을 빚어, 목의 차가움이 관자놀이나 귀의 통증으로 잘못 받아들여진다. 그래서 목의 통증을 두통으로써 착각하게 되는 것이다(그림 1).

이와 같이 원래 통증이 있는 부위와는 다른 인체의 부위가 아픈 것을 「방사통」이라고 한다.

그림1 빙수로 두통이 일어나는 원리

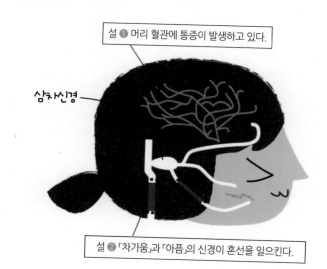

설 ❶ 머리 혈관에 통증이 발생하고 있다.

삼차신경

설 ❷ 「차가움」과 「아픔」의 신경이 혼선을 일으킨다.

용어 삼차신경(trigeminal nerve), 뇌줄기(뇌간, brain stem)

Q11 운동신경이란 단련시킬 수 있는 것인가?

A 트레이닝을 해서 운동할 때 사용하는 근육의 움직임을 증가시키면 여러 가지 동작을 만들 수 있게 되어 「운동신경」이 단련된다.

스포츠가 특기인 사람을 가리켜 「운동신경이 좋다」고 하는데 운동신경이란 어떤 신경일까?

운동신경을 정확히 정의하면 골격이나 내장 근육의 움직임을 명령하기 위해 신호를 전달하는 신경의 총칭이다(그림 1, 2). 그러나 일반적으로 「운동신경이 좋은 사람」이라는 의미는 뇌가 이미지한 동작이나 자세를 원활하게 근육에 전달할 수 있는 스포츠 만능인 사람을 말한다.

이 운동신경은 어떻게 전달될까? 뇌에서 근육까지는 이마연합영역→운동전영역→1차 운동영역(motor area)→소뇌→척수→척수신경→근육으로 복잡한 경로를 거친다. 이 경로는 몇 번이나 같은 동작을 반복하는 것으로 뇌가 자동적으로 명령을 내보내고 근육까지 도달할 수 있게 된다. 이 과정에는 소뇌나 대뇌바닥핵이 관여하는데 과거의 동작기억을 참조한다. 이 자동적인 행동 양상이 많아지면 보다 원활한 동작이 생기고 운동신경이 단련된다.

예를 들어 뇌가 「볼을 던져」라는 명령을 내리면 처음에 운동연합에서 과거의 실적이나 외계의 상태를 분석하고 어떻게 행동하면 좋은지 운동영역(motor area)로 전달한다. 운동영역(motor area)이 그것을 척수에서 근육으로 전달하므로 인체가 움직이는데 실제로 인체가 움직이기까지는 거리·방향·크기·각도 등 수많은 정보가 전달된 것이다. 이러한 동작은 반복함으로써 뇌에 기억되는데 횟수를 거듭할수록 원만하게 잘 이뤄진다. 이렇게 뇌에 축적된 기억을 수정하면서 실행할 수 있는 사람이 흔히 말하는 운동신경이 좋은 사람인 것이다.

또 하나의 중요한 포인트는 「자신의 마음속으로 이상적인 동작을 이미지화해 보는 것」 즉 이미지 트레이닝이다. 이상적인 인체의 동작을 머릿속에 넣고 거기에 따라 인체를 움직이면서 운동신경을 단련하면 스포츠가 한층 더 잘 될 것이다.

그림 1 운동신경의 경로

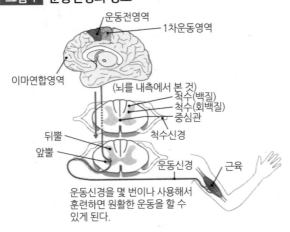

그림 2 펜필드의 그림(운동중추에서 담당하는 신체부위)

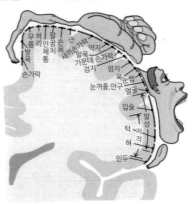

※ 그림 1을 관상면으로 자른 그림

 이마연합영역(전두연합영역, frontal association area), 운동전영역(premotor area), 척수(spinal cord), 백색질(백질; 신경로와 신경다발, white matter; tracts and fascicles), 회색질(회백질; 신경핵과 신경기둥, gray matter; nuclei and columns), 중심관(central canal), 앞뿔(전각, ventral cornu), 뒤뿔(후각, posterior horn, cornu posterius)

Q12 뇌사와 식물인간상태란 같은 것인가?

A 뇌사는 뇌전체가 기능이 정지되어 회복될 가능성이 없는 상태를 말한다.
식물인간상태는 대뇌의 기능은 정지되었지만
생명유지에 필수적인 뇌줄기는 활동하고 있는 상태를 말한다.

장기이식법의 개정에 따라 장기이식이 실시되었고 텔레비전이나 신문 등에서 크게 보도된 적이 있다. 이때 자주 나오는 말이 뇌사나 식물인간상태이다. 이것은 도대체 어떤 의미일까? 그 차이는 어디에 있는 것일까?

뇌는 크게 나누면 뇌줄기, 소뇌, 대뇌 세 부분으로 나눌 수 있다. 각각 서로 다른 일을 하며 우리의 생명을 유지하는 데 중요한 역할을 맡고 있다.

뇌줄기란 숨뇌, 다리뇌, 중뇌를 말하는데 사이뇌와 함께 뇌의 안쪽에서 생명유지에 없어서는 안 될 필수적인 부분이다. 숨뇌에는 호흡, 순환, 배설, 발한중추가 있다. 중뇌는 안구운동, 동공 조절 등을 사이뇌는 식욕, 성욕, 수면욕, 배설욕 등을 담당하고 있다.

대뇌는 감정, 사고, 언어, 기억을 관장하고 또 시각, 청각, 통각 등의 정보를 바탕으로 운동 명령을 내린다. 인간답게 살기 위해 가장 중요한 부분이라고 할 수 있다. 소뇌는 운동을 조절하고 평형감각을 유지하는 역할을 하고 있다.

인간으로서 살기 위해서는 뇌의 모든 영역이 다 중요하지만, 생명 유지의 측면에서는 뇌줄기가 가장 중요하다. 즉, 뇌줄기의 활동으로 간신히 생명은 유지할 수 있다. 이와 같이 대뇌, 소뇌는 활동하지 않는 상태에서 사이뇌나 뇌줄기만 살아있는 경우를 식물인간이라고 한다. 식물인간의 경우 어떤 계기나 자극을 통해

의식이 회복될 가능성도 있다.

반면 뇌사는 뇌줄기, 대뇌, 소뇌 모두 뇌가 활동하고 있지 않은 상태를 말하며, 이 상태에서는 다시 회복할 가능성은 없다. 뇌가 정말로 죽어 있어서 원래로 돌아갈 수는 없는 걸까, 아니면 조금이라도 가능성이 있는 걸까? 장기이식을 결정하기 위해서는 회복 가능성 여부를 판단하는 것이 아주 중요하다(**그림 1, 표 1**).

그림 1 뇌사

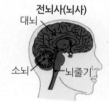

전뇌사(뇌사)
대뇌
소뇌 / 뇌줄기

■ 기능이 정지한 부분
대뇌, 뇌줄기, 소뇌를 포함한 뇌전체가 기능정지

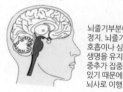

뇌줄기사

뇌줄기부분이 기능 정지. 뇌줄기에는 호흡이나 심장 등 생명을 유지하는 중추가 집중되어 있기 때문에 바로 뇌사로 이행.

대뇌사(식물인간)

대뇌가 기능을 정지. 생명유지의 중추인 뇌줄기는 기능을 하기 때문에 오래 생존 가능. 식물 상태에서의 수명은 약 10년.

표 1 일본에서 뇌사의 판정 기준

뇌사판정항목	검사방법
깊은 혼수	안면의 삼차신경에 동통자극을 주어도 반응 없음, 개안 없음, 발어 없음, 운동 없음
동공의 산대와 고정	동공에 빛을 비추어도 변화 없음(대관반사의 소실), 동공이 좌우 모두 4mm 이상인 것을 확인
뇌줄기반사의 소실	각막반사, 해반사 등의 검사를 행하고, 뇌줄기의 기능이 소실한 것을 확인
평단한 뇌파	정밀도 높은 기기를 사용해서 최저 4도출로 뇌파를 기록하고 30분 이상의 평단한 뇌파(뇌파가 검출되지 않음)를 확인
자발호흡 정지	인공호흡기에 의해 호흡이 유지되고 있는 것을 확인한 후 호흡기를 벗겨 자력으로 호흡할 수 없는 (무호흡상태) 것을 확인
6시간 후의 재검사	6시간 이상 경과한 후 다시 상기의 항목을 재검사해서 변화가 없는 것을 확인

Q13 사랑을 하면 여성이 예뻐진다는 것은 왜 그럴까?

A 사랑을 하면 뇌내 페닐에틸아민이나 도파민이 분비되어
적극적이고 활기차게 행동한다. 또, 여성호르몬의 균형도
잘 이루어지고 신진대사가 활발해져서 예뻐진다.

여성이 연애를 하면 예뻐진다는 것은 많은 사람이 인정하는 바다. 동창회 등에서 오랜만에 옛날 동급생을 만나면「앗! 쟤가 저렇게 예뻐졌네. 연애를 하나?」이런 대화를 한 적이 있다. 이것은 의학적으로도 증거가 있다.

여성은 사랑을 하면 뇌내에 연애호르몬이라고 불리는 페닐에틸아민(phenylethylamine-PEA)이나 도파민이라는 물질이 분비된다. 이들 물질은 뇌를 활성화시켜 기분을 고양시키고 정신적인 쾌감을 주는 작용을 한다. 소위 뇌내마약이다. 실제로 PEA는 항우울제로 써도 사용되고 있다.

그것이 연애를 할 때의 고양감으로 연결된다. 무슨 일이든 적극적이게 되고 의욕도 높아지고 표정도 살아있다. 또, PEA에는 식욕을 억제하는 효과도 있기 때문에 결과적으로 날씬해지고 더욱 예뻐지는 것이다 **(그림 1)**.

또 하나, 사랑을 하면 여성의 난소에서 분비되는 에스트로겐과 프로게스테론이라는 여성호르몬의 균형이 이상적인 상태가 된다. 이것은 생식을 위한 준비라고 할 수 있을 지도 모른다. 이들 여성호르몬의 활동으로 월경 주기의 유지나 조절 등이 일어나며, 에스트로겐은 피부의 신진대사를 좋게 하고 피부결을 정리해 젊은 피부로 만드는 작용이 있다. 또, 에스트로겐에는

기분을 진정시키는 효과도 있기 때문에, 앙칼진 여성이 사랑을 하는 순간 온화해졌다는 것도 이 호르몬의 활동에 의한 것이다. 그래서 사랑을 하면 여성은 외양이나 내면 모두 예뻐진다.

동경하는 사람이나 좋아하는 연예인을 생각하는 것만으로도 뇌내에는 도파민이 분비된다. 그에 따라 삶에 의욕이 넘쳐나고 경우에 따라서는 갱년기장애에서 벗어났다는 사람도 있다. 이것 또한 사랑의 건강효과라고 할 수 있을 것이다.

그림 1 여성이 사랑을 하면······

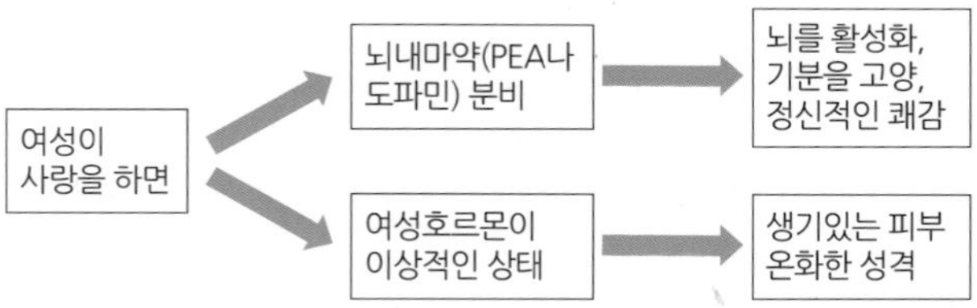

여성이
사랑을 하면 → 뇌내마약(PEA나 도파민) 분비 → 뇌를 활성화, 기분을 고양, 정신적인 쾌감

여성이
사랑을 하면 → 여성호르몬이 이상적인 상태 → 생기있는 피부 온화한 성격

memo

Q14 남자와 여자의 뇌는 차이가 있을까?

A 남성의 뇌는 공간인지능력이 뛰어나다.
여성의 뇌는 좌우의 연락이 잘 되어
다방면에 걸쳐 이야기하거나 세심한 일에 주의를 기울일 수 있다.

기본적으로 여성보다 남성의 뇌가 크고 무겁다. 성인 남성의 뇌는 1,400~1,500g 정도, 여성은 1,200~1,250g 정도이다. 단, 어디까지나 무게와 크기가 다를 뿐 이것을 갖고 「남성이 여성보다 똑똑하다」라는 것은 아니다. 뇌의 크기, 무게와 지능지수 사이에는 인과관계가 전혀 없다.

남녀 간 뇌구조의 차이는 몇 개 있는데 대표적인 것은 우뇌와 좌뇌를 연결하는 뇌들보의 형태와 크기가 다르다는 점이다(**그림 1**). 남성보다 여성의 뇌들보가 크다는 것은 여성 쪽이 좌우의 뇌로 풍부하게 정보교환 할 수 있다고 생각된다. 일례로써 남녀의 대화 방법에 차이가 있다. 남성은 대부분 언어중추가 있는 좌뇌만을 사용해서 필요사항을 말하는 데 비해 여성은 뇌 전체를 사용해서 여러 가지를 이야기한다. 일반적으로 말싸움에서 남성이 여성을 이길 수 없는 것은 이런 이유 일지도 모른다. 여성이 섬세한 차이나 변화를 잘 알아차리는 것도 좌, 우뇌의 연락이 잘 이루어지기 때문이라 생각된다.

그 밖의 차이로써 남성은 우뇌가 발달하고 여성은 좌뇌가 발달되어 있다고들 한다. 우뇌의 기능은 사물을 직감적으로 이미지화 하거나 그림을 그리거나 음악을 듣거나 연주할 때도 작용한다. 공간인식도 우뇌의 작용에 의한 것이다. 좌뇌의 기능은 듣고, 말하고, 읽고, 쓰는 언어에 관한 능력, 일의 사후 등의 시간 개념, 숫자, 기호, 계산 등이다. 일반적으로 지도를 보는 것이나 차의 차폭감각 등은 우뇌의 공간인식 능력이 작

용하는데 남성이 뛰어나다. 위대한 작곡가인 베토벤, 쇼팽, 바하 등은 남성인데 이는 우뇌의 음악적 활동이 남성우위라는 증거가 될 수 있다. 한편 여자 쪽이 남자보다 말을 빨리 하는 것은 좌뇌의 작용이 남성보다 우위인 것을 증명한다. 이와 같이 남녀의 뇌의 차이는 구조적으로 확실하게 다른 부분이 어느 정도 있고 내부의 작용도 남녀 각각 특징이 있음을 알 수 있다.

그림 1 남자와 여자의 뇌의 차이

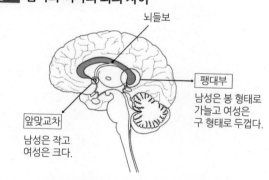

뇌들보

팽대부
남성은 봉 형태로 가늘고 여성은 구 형태로 두껍다.

앞맞교차
남성은 작고 여성은 크다.

여성은 뇌들보(앞맞교차, 팽대부)이 크기 때문에 좌우의 뇌의 정보량이 많다.

여성은 말을 할 때 뇌 전체(양뇌)를 사용한다. 남성은 대부분 언어중추가 있는 좌뇌를 사용해서 말을 한다. 남성은 이론적으로 필요한 사항을 말하지만 여성은 정보량이 많아 쓸데없는 말도 이야기 속에 포함시켜 「수다쟁이」라고 불리기도 한다. 여성과 싸움을 하면 감정적으로 되기 쉬운 것은 뇌 전체를 사용해서 다량의 정보가 혼재하고 정리된 이야기를 할 수 없기 때문이다. 남성은 그런 점에서 대화에 사용하는 부분, 이론을 세우는 부분, 감정적이 되는 부분이 분업화 되어 있기 때문에 감정적으로 되기 어렵다. 이는 남성이 말싸움에서 여성을 이길 수 없는 이유이다.

용어 뇌들보(뇌량, corpus callosum), 앞맞교차(전교련, anterior commissure)

Q15 요즘 젊은이들은 쉽게 화를 낸다고 하는데 왜 그럴까?

A 감정을 조절하는 대뇌겉질의 발달이 늦는 경향이 있고
뇌내의 세로토닌의 분비가 부족해서
감정을 그대로 폭발시켜 버리기 때문이다.

요즘 감정을 억제하지 못하고 금방 화를 내고 흥분하는 젊은이가 늘고 있다. 은둔형 외톨이인 아이가 울컥하여 부모를 살해하거나 젊은 부모가 이성을 잃어 유아를 학대하는 등 사회문제가 되고 있다. 왜 우리는 자신의 감정을 제대로 조절할 수 없는 것일까?

사람의 희노애락의 감정은 발생학적으로 뇌의 일부인 대뇌둘레계통, 시상하부라는 부분에서 생긴다(그림 1). 남성의 경우엔 사춘기가 되면 정소에서 안드로겐이라는 남성호르몬이 분비된다. 이 호르몬이 감정을 관장하는 대뇌둘레계통에 작용하면 공격적으로 된다고 알려져 있다. 보통은 어른이 되는 과정에서 여러 가지의 경험을 통해 대뇌겉질이 발달하고 이마엽에서 감정을 조절할 수 있게 된다. 모두 그렇다고 말할 순 없지만 최근 교육현장에서는 예전에 비해 야단을 치거나 체벌을 가하는 일이 적어서 참는 법을 배울 기회가 줄어든 것 같다. 그래서 감정을 조절하지 못한 채 대뇌둘레계통이 유발하는 감정 그대로 행동을 하고 조금이라도 자기 생각대로 되지 않으면 분을 참지 못하는 젊은이가 많다고 한다.

최근 신경과학의 발달에 따라 이 「울컥」하는 현상은 뇌 속의 세로토닌이라 불리는 물질의 결핍과 관계있음이 알려졌다. 이 세로토닌은 신경전달에 관계되는 물질인데 스트레스와 피로가 원인이 되어 뇌 속에서 결핍될 수 있다. 그 결과 긴장과 불안이 강해지거나 마음의 평정을 잃게 되어 자기제어가 불가능하게 된다(그림 2).

그럼, 어떻게 하면 뇌내의 세로토닌을 증가시켜 마음의 평정을 유지할 수 있을까. 우선은 운동을 자주 해야 한다. 운동을 하면 뇌내의 세로토닌이 상승한다. 다음으로 태양의 빛, 특히 아침 해를 자주 맞이해야 한다. 아침에 일어나서 충분히 해를 쬐면 태양광이 뇌를 자극해서 체내 시계가 아침으로 맞춰지고 뇌가 활성화되어서 세로토닌 부족도 해소된다.

그림 1 대뇌의 3층 구조

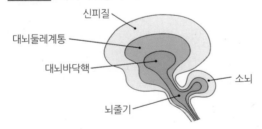

대뇌새겉질이 감정을 조절하지만 조절이 안 되면
감정이 폭발한다.

그림 2 신경전달물질의 종류

주요 뇌내 전달 물질

도파민	행동의 동기부여. 쾌락이나 즐거움을 불러일으킴. 각성제와 동등한 작용
노르아드레날린	불안이나 공포감·성냄. 각성·집중. 기억, 스트레스 회피와 관계
세로토닌	도파민이나 노르아드레날린의 작용을 조절 정신 안정
β-엔돌핀	행복감(두근거림)·쾌락과 관련 강력한 진통효과, 뇌내마약이라 불림
아세틸콜린	신경 흥분, 기억·학습·각성, 집중력, 적극성 등과 관련
GABA(가바)	불안이나 긴장을 억제, 신경 안정 경련 등에도 효과

 새겉질(신피질, neocortex), 대뇌바닥핵(대뇌기저핵, basal ganglion), 대뇌둘레계통(대뇌변연계, limbic system)

Q16 담배를 피우면 기분이 안정된다고 하는데 왜 그런가?

A 안정되는 것이 아니다.
니코틴의 금단증상을 완화시키고 있을 뿐이다.

담배를 피우면 마음이 편안해 진다, 혹은 머리가 맑아져서 집중력이 좋아지고 일도 잘 된다 라고 하는데 정말일까. 흡연자 중에 정말 그렇게 믿고 있는 사람이 있는 건 아닐까?

분명 담배에 포함된 니코틴은 중추신경을 자극하여 일시적으로 정신신경의 활동을 활발하게 한다. 또, 졸릴 때나 피곤할 때 담배를 피우면 졸음이 사라지고 감정이 고양된다. 그와는 반대로 긴장했을 때나 일로 피곤할 때 담배를 피우면 긴장감이 풀어지고 이완된 느낌이 든다. 이것은 니코틴의 특징으로 흥분상태일 때에 작용하는 진정작용과 신경이 이완되어 있을 때에 작용하는 흥분작용이 있다.

흡연습관이 있는 사람이 담배를 피우지 않으면 뇌의 활동이 둔해지고 안정감을 잃어 스트레스를 느끼거나 무료함을 갖게 된다. 니코틴에는 이 저하된 뇌의 작용을 일시적으로 회복시키는 작용이 있다. 그러나 담배를 피우는 사람은 만성적으로 뇌의 작용이 나빠질 수 있기 때문에 피운 직후의 순간만 뇌가 담배에 의해 활성화된다. 이것이 담배는「스트레스 발산을 해준다」「피우면 안정감을 느낀다」라는 말의 정체이다.

결국 원래 담배로 인해 작용하지 않게 된 뇌를 다음 한 대가 순간적으로 회복시켜 주므로 또 한 대를 피우게 되고 이것을 반복하고 있을 뿐이다. 담배 덕분에 이완된 것은 아니다. 피우지 않으면 주기적으로 초조해하거나 무료해 지고 입이 허전해진다는 니코틴의 금단증상이 담배를 피우므로 완화되어 안정감이라는 감각을 일시적으로 얻을 뿐이다(**그림 1**).

그림 1 상습흡연자와 비흡연자의 α파 주파수와
평균주파수의 비교

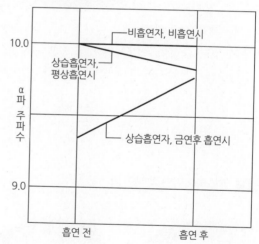

Q17 담배를 피우면 치매에 걸리지 않는다는데 정말인가?

A 흡연은 뇌를 활성화시킨다는 설과
알츠하이머형 치매의 주요한 위험인자라는 설이 있다.

『담배는 치매를 방지하는가』(저자 : 다카다아키카즈/1994년/카도가와서점)라는 책에는 「담배를 많이 피우는 사람은 알츠하이머병에 잘 걸리지 않는다」라고 쓰여 있다. 이와 같은 담배의 효능을 말한 것은 왜일까? 그것은 담배에 함유된 니코틴이 니코틴성 아세틸콜린 수용체를 부활시켜 아세틸콜린 신경계를 활성화시키기 때문에 알츠하이머형 치매의 예방효과가 있다는 것이다(**그림 1**).

니코틴성 아세틸콜린 수용체라는 것은 아세틸콜린 수용체의 일종인데, 니코틴과 결합하므로 나트륨 이온을 투과시켜서 신경을 활성화시킨다. 또한 니코틴은 중추신경을 자극하여 일시적으로 정신신경의 작용을 활발하게 해준다. 졸릴 때나 피곤할 때 담배를 피우면 졸음이 깨고 감정이 고양되는 것도 그 때문이다.

그러나 최근의 연구에서는 반대의 결과도 나와 있는데 「흡연은 알츠하이머형 치매나 혈관성 치매를 억제하는 효과는 없고 오히려 발생 연령을 저하시킨다」라고 되어 있다. 뇌의 여기저기에서 가는 혈관이 막히고 작은 뇌경색이 반복적으로 일어남으로 인해 혈관성 치매의 증상이 나온다는 것이다(**그림 2**).

또 금연을 10년이상 한 사람도 흡연자와 똑같이 인지증이 될 위험이 있다는 설도 있다.

문제는 치매 이외에도 담배는 여러 질환의 원인이 된다. 예를 들면 직접 연기가 영향을 주는 호흡기계 질환으로써 폐암, 천식, 만성기관지염, 인두암, 후두암 등이 있으며, 그 밖에도 뇌졸중, 심근경색, 협심증 등의 혈관질환, 위암, 위궤양, 십이지장궤양, 간암 등의 위험인자가 된다. 흡연을 하고 안 하고는 개인의 선택이지만 인체에는 이득보다는 해로움이 압도적으로 많다.

그림 1 알츠하이머형 치매의 뇌

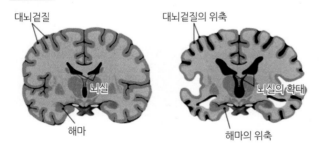

보통 노인의 뇌(좌)와 알츠하이머형 치매환자의 뇌(우).
알츠하이머형 치매환자는 대뇌겉질, 해마의 위축 및 확대된 뇌실이 보인다.

그림 2 흡연은 지능지수의 (IQ)의 저하를 초래한다

중년남성 901명에 대해서 흡연과 지능 지수 관계의 조사 결과

이전부터 피우지 않는 사람의 IQ	106.8
현재 피우고 있는 사람의 IQ	102.5
금연한 사람의 IQ	107.9

흡연을 하면 지능지수는 저하하지만 금연을 하면 지능지수는 회복된다.

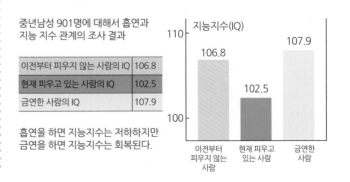

용어 뇌실(cerebral ventricle)

Q18 여자는 왜 실연을 한 후에 폭식을 하는 걸까?

A 여성의 경우 성욕 중추 옆에 있는 포만중추가 실연에 의한 영향을 받아 배가 불러도 먹는 것을 멈추지 못하는 폭식현상이 일어난다.

남성이 실연을 하면 폭주를 하지만 여성이 실연을 하면 「폭식」을 한다는 이야기는 자주 듣는다. 남과 여에 있어서 실연을 극복하는 방법에도 차이가 있는데 여기에는 이유가 있다.

뇌줄기의 중뇌에 이어지는 사이뇌에는 시상하부라는 곳이 있다. 이곳은 자율신경의 최고중추인데 호르몬을 분비하는 등 생명과 관련된 작용을 조절하는 곳이다. 여기에는 성욕이나 식욕 중추도 있다.

식욕중추와 성욕중추는 남녀 모두 시상하부 내에 바로 이웃해 있지만 남자와 여자는 성욕중추 옆에 있는 식욕중추의 작용이 서로 다르다.

여성의 경우 성욕중추 옆에는 배가 부를 때 먹는 것을 중지시키는 포만중추가 있다. 남성의 경우 성욕중추 옆에는 공복 시에 먹는 명령을 내리는 섭식중추가 있다. 그 때문에 실연을 당했을 때 남성의 포만중추는 성욕중추의 영향을 받지 않지만 여성은 영향을 받아 배가 불러도 먹는 것을 멈추지 못하는 폭식을 일으킨다(**그림 1**).

또 실연과 상관없는 스트레스를 배출하기 위한 「폭식」이 있다. 여기에는 어떤 효능이 있을까? 튀김요리나 라면 등 고칼로리를 먹을 때 대량의 엔돌핀이 분비된다. 엔돌핀은 뇌 내 마약이라 불리는 매우 강한 쾌감을 주는 물질이다. 간단히 말하면 「맛있는 것을 먹으면 쾌감물질이 분비된다」는 것이다. 연애 중에는 엔돌핀을 비롯해 여러 가지의 쾌감물질이 분비되는 상태이다. 반대로 실연에서는 그 쾌감물질이 중단된 소위 「금단증상」이 발생한다.

이를 달래기 위해 「연애」이외의 수단으로 쾌감물질

을 분비시키려고 「폭식」을 하는 것일 지도 모른다. 「맛있는 것을 배부르게 먹는다」는 것은 사람을 행복하게 해주고 스트레스나 실연을 잊게 해주는 보상작용이라 할 수 있다. 다만, 그것이 습관이 되면 체중증가나 비만의 원인이 될 수도 있으니 주의가 필요하다.

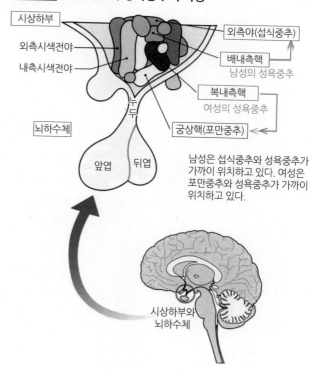

그림 1 **시상하부의 성욕중추의 작용**

남성은 섭식중추와 성욕중추가 가까이 위치하고 있다. 여성은 포만중추와 성욕중추가 가까이 위치하고 있다.

 용어 시상하부(hypothalamus), 외측야(lateral hypothalamic area), 배내측핵(nucleus dorsomedialis), 뇌하수체(hypophysis, pituitary gland), 궁상핵(활꼴핵, arcuate nucleus)

Q19 아로마로 정말 이완될 수 있을까?

A 본능이나 감정을 담당하는 대뇌둘레계통의 작용을
활성화시켜 스트레스를 없애주기 때문에 이완 효과가 있다.

요즘 여러 미디어에서 아로마 요법이라는 말을 자주 듣는다. 아로마란 방향·향료를 의미하는 프랑스어다. 요법은 치료라는 의미로 아로마를 이용하며 심신을 안정시키는 건강법으로 소개되고 있다.

그럼 허브 등 식물의 유효성분을 추출한 휘발성 오일로 된 방향제의 냄새를 맡거나 오일을 피부에 바르는 것만으로 어떻게 기분 전환이 되는 것일까.

인간의 대뇌 외측에 이성이나 지능 활동을 담당하는「대뇌새겉질」이 있고 내측에 식욕·성욕 등의 욕망이나 기쁨·슬픔, 화, 공포, 놀람, 혐오감 등의 감정이나 본능, 기억을 관장하는「대뇌둘레계통」이 있다.

인간의 다섯 감각 중에서 시각, 청각, 촉각, 미각은「대뇌새겉질」을 통해서「대뇌둘레계통」에 작용하는데 미각만이 유일하게「대뇌둘레계통」을 직접 자극할 수 있다.

인간은 스트레스를 받으면「대뇌둘레계통」이 불쾌한 자극을 받아 초조한 감정을 나타낸다. 그러나 기분 좋은 냄새를 맡으면 지정된 경로를 따라가 대뇌둘레계통에 직접 도달한다. 대뇌둘레계통은 기억이나 감정과 밀접한 관계가 있는 부분이기 때문에 기분 좋은 향의 자극이 도달하면 과거의 즐거운 자극을 불러일으킨다. 그래서 아로마에는 스트레스를 해소하고 뇌를 안정시키는 작용이 있다(**그림 1**).

그림 1 냄새의 전도 경로

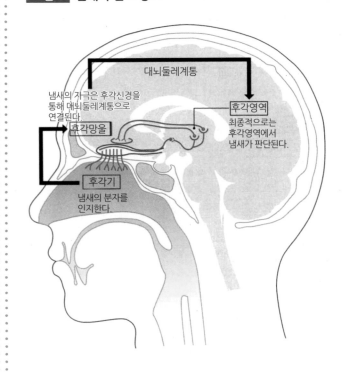

대뇌둘레계통

냄새의 자극은 후각신경을 통해 대뇌둘레계통으로 연결된다.

후각망울

후각영역
최종적으로는 후각영역에서 냄새가 판단된다.

후각기
냄새의 분자를 인지한다.

용어 후각망울(후구, olfactory bulb)

Q20 뇌 신경은 고장 나면 왜 회복되지 않는 것인가?

A 뇌신경세포는 자꾸 분열해서 새로운 세포를 생산하는 게 아니고
지금까지 만들어 온 신경세포 네트워크를 이용해서
고도의 기능을 운영하기 때문이다.

뇌신경 세포는 생후 분열증식하지 않고 재생하지 않는 특징을 갖고 있다. 거기에는 뇌 특유의 이유가 있다.

뇌는 뭔가를 생각하거나 기억하기, 희노애락을 나타내는 등 여러 면에 걸쳐서 복잡한 고도의 기능을 담당하고 있다. 그 기능을 이행하기 위해 성장과 함께 신경세포끼리 네트워크가 복잡하게 구축되어 과거의 일을 기억으로써 축적하고 있다.

그런데 만약 신경세포가 분열증식한다고 하면 그때까지 쌓아온 신경세포의 네트워크는 이용할 수 없게 되고 처음부터 다시 네트워크를 재구축하지 않으면 안 되기 때문에 매우 비효율적이며 고도의 기능을 행할 수가 없다. 그래서 신경세포는 죽을 때까지 재생하지 않는 것이다. 긴 세월 동안 조금씩 신경세포의 네트워크가 구축되고 기억을 쌓아가고 사고 판단력이 높아져서 고도의 정신기능을 유지할 수 있게 된다.

이와 같이 일반적인 상태에서는 한 번 변성 혹은 사멸한 신경세포는 다시 살아나지 않기 때문에 고장난 신경의 회복이란 있을 수 없다. 다만 남겨진 신경세포의 활동을 한층 높여 잃어버린 신경세포의 작용을 보완하는 것으로 기능을 회복시킬 수 있다. 뇌졸중이나 치매에 대한 치료법은 이와 같은 보완성회복훈련이 중심이 된다(**그림 1**).

최근에는 뇌과학이나 재생요법의 발달에 따라 손상된 뇌를 재생하는 치료가 가능하게 되었다. 파킨슨병이나 뇌경색 등 뇌가 병에 걸리면 뇌신경세포가 점점 파괴되어 간다. 이런 뇌내 장애부위에 새로운 세포를 이식하거나 혹은 신경영양인자(BDNF;Brain-derived neurotrophic factor)라는 신경세포의 재생을 촉진하는 물질을 뇌 속에 주입해서 파괴되어 가는 신경세포를 돕는 치료법이 개발되고 있다. 미래에는 신경세포도 재생 가능하고 상처를 치료할 수 있게 기능회복이 될지도 모른다.

그림 1 **뇌의 기능 회복**

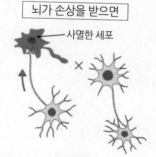

뇌가 손상을 받으면

사멸한 세포

일부 신경세포는 사멸

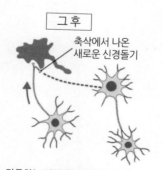

그후

축삭에서 나온
새로운 신경돌기

잔존하는 신경세포의 축삭에서
새로운 신경돌기가 뻗는다.

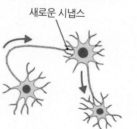

새로운 네트워크

새로운 시냅스

새로운 시냅스가 생겨
새로운 네트워크가 형성된다.

Q21 아기를 흔들어 주면 잠을 잘 자는 것은 왜일까?

A 태아 때의 환경을 재현하기 때문에
아기는 안정감을 느껴 쉽게 잠이 드는 것이다.

왜 아기는 잠을 자고 싶을 때 칭얼거리는 것일까? 그것은 아기가 어머니의 주의를 자신에게 향하게 하기 위해서이다. 아기는 잘 때 가장 무방비의 상태이기 때문에 보다 「보호받고 있다」는 안정감을 갖고 싶어 한다.

그래서 잠이 들려고 할 때는 아기가 보호받고 있다는 것을 실감할 수 있도록 하는 것이 중요하다. 우선 피부를 밀착시켜 어머니의 심장 소리를 들려주면서 부드럽게 흔들어 줌으로써 자궁 안에 있을 때와 같은 상태를 만들어 주고 안심시켜 준다(**그림 1**).

이때 놓치기 쉬운 것이 「호흡」이다. 어머니가 초조한 상태라면 호흡이 빨라진다. 그러면 아기는 그것을 민감하게 받아들여 불안을 느끼고 자꾸 칭얼대는 것이다. 그래서 아기가 잠이 들려고 할 때는 아기의 호흡에 맞춰 천천히 호흡해야 한다(아기를 잠을 자도록 이끌어 주는 네 가지). 즉, 「밀착」「심장 소리」「흔들어 주기」「호흡 속도」를 만족시켜 주는 것이 중요하다.

적당히 흔들어 주는 것은 잠을 잘 자도록 해준다. 「흔들어 주기」는 특별히 의식하지 않아도 단지 아기를 안아주거나 업어주기 등 평소대로 움직이는 것만으로도 아기에게 기분 좋게 전달된다. 또 등을 일정한 리듬으로 가볍게 두드려 주면 더욱 효과적이다. 아기는 어머니의 태내에 있을 때는 가볍게 흔들리는 상태에 있는데 그 진동은 어머니의 심박수에 가까운 1분간 60회 전후로 두드려주면 아기는 안심을 하고 잠을 잔다고 한다.

그러면 이 리듬은 어른에게도 유효한 것일까?

어른에게 실험한 적이 있다. 특제침대를 1분에 60회 정도로 계속 흔들어 주니 어른의 경우 잠을 자기는 커녕 움직임에 취해 1시간이 지나도 잠을 자지 못했다. 아기는 평형감각이 미발달되어 있기 때문에 흔들림에 영향을 받지 않고 잠을 잘 수 있다고 한다. 한편 어른에게도 전차는 졸음을 유도하는 장소이다. 「덜컹 덜컹」하는 2Hz의 흔들림이 잠을 유도하기 때문이다.

그림 1 태내의 모습

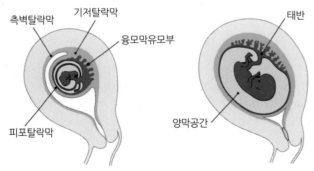

측벽탈락막
기저탈락막
융모막유모부
태반
피포탈락막
양막공간

Q22 사람은 음악을 듣거나 조용한 산사나 수도원에 가면 기분이 안정되는데 왜인가?

A 「진동」이 인간이 본래 갖고 있는 리듬과 동조해서 기분을 좋게 만들고 교감신경을 자극하여 자율신경의 조화를 돕기 때문이다.

「진동」은 이완과 관계가 있는 것으로 알려져 있다. 「진동」이란 익숙하지 않은 단어지만 예측할 수 없는 「차이」가 「진동」인데 자연계를 비롯하여 여러 곳에서 관측되고 있다. 예를 들면 별의 깜빡임, 밀려오는 파도나 작은 시냇물, 살랑거리는 바람, 나뭇잎 사이로 비치는 햇빛, 새의 울음 소리 등 많은 자연계에 이러한 「차이」가 있어서 진동하고 있다. 기분 좋게 쾌적하고 사람들에게 편안함과 행복을 느끼게 해주는 「진동」이 자연계에는 가득하다.

그 밖에 수묵화나 직물이나 염물, 칠기, 도자기 등 수공의 아름다움이라든가 그리움이나 따뜻함을 느끼는 것은 모두 「진동」을 갖고 있다. 또, 바하나 모짜르트, 베토벤 등의 명곡, 마음에 남는 노래 등 음악에도 「진동」을 많이 볼 수 있다.

이와 같은 사람에게 온화함을 주는 「진동」은 「1/f 진동」이라 불린다. 도대체 「1/f 진동」이 무엇일까? 원래는 전기부도체에 전류를 흘리면 그 저항치가 일정하지 않고 불안정하게 흔들리는 것을 발견할 수 있다. 그 파워 스펙트럼(power spectrum)이 주파수 f에 반비례하여 「1/f 진동」이라고 붙여졌다(**그림 1**).

「진동」 중에서 「1/f 진동」이 사람에게 좋은 기분과 온화함을 주는 것은 사람의 심박 진동에서 알 수 있듯이 인체의 리듬이 「1/f 진동」으로 되어 있기 때문이다. 인간이 외계에서 오감으로 전해오는 「1/f 진동」을 감지하면 그것이 생체리듬과 공명하고 공진한다. 인간이 원래 갖고 있는 리듬과 동조하므로 기분을 좋게 하고 교감신경을 자극하여 자율신경의 조화를 돕는다. 조화를 이룬 자율신경은 혈액순환을 좋게 하고 기분을 상쾌하게 만들어 활력을 준다.

아기가 어머니에게 안기면 기분 좋게 자는 것도 흔들림과 어머니의 심장 소리라는 두 가지에서 「1/f 진동」의 쾌적함을 얻기 때문이다.

그림 1 「등간격」과 「1/f 진동」의 간격

「1/f 진동」으로 직선을 배열하면 나뭇결 분위기가 나온다.
이와 같이 「1/f 진동」을 이용함에 따라 부드러운 느낌을 낼 수 있다.

「1/f 진동」

memo

Q23 게임에 열중하는 것은 왜일까?

A 게임을 클리어하면 쾌감물질이 분비되는데
그 자극을 또 다시 맛보고 싶기 때문이다.

요즘 게임에 너무 빠진 나머지 중독된 사람이 급증하고 있다는 이야기를 자주 듣는다. 중독이란 「어떤 물질을 반복적으로 섭취한 결과 섭취하지 않고는 견딜 수 없게 되는 상태」를 말한다.

마약이나 니코틴에는 기분을 좋게 하는 강한 작용이 있기 때문에 이러한 물질을 항상 갈구하고 이러한 물질 없이는 견딜 수 없는 상태가 되는데 이것이 중독이다(**표 1**).

사람의 기분이 좋아지는 이유는 뇌에서 도파민이 분비됨으로써 일어난다고 알려져있다. 이 도파민이 분비되는 신경을 A계 신경(A8~A16으로 나뉘고, 특히 A10 신경 : 시상하부의 복측피개영역(VTA, ventral tegmental area)의 도파민 농도가 높다)이라고 하는데 쾌감과 관계되는 중요한 신경이다. 의존성 물질을 섭취하면 도파민 분비가 일어나서 인체가 그 자극을 강하게 요구하게 되는 것이라고 생각할 수 있다(**그림 1**).

도파민은 의존성물질을 외부에서 섭취하는 것뿐만 아니고 사람이 뭔가를 달성한 후 성취감을 얻었을 때에도 분비된다. 게임에 열중하는 것은 이 때문이다. 게임을 전부 클리어한 성취감을 얻었을 때 도파민이 분비되고 마약중독과 같은 쾌감을 얻는다. 그래서 중독과 비슷한 증상을 보이고 게임을 하지 않으면 안 되는 상태가 되는 것이다.

표 1 중독과 약물의 작용

약물명	작용
코카인	도파민 수송자(흡수해서 재사용하기 위한 입구)에 결합하여 과잉으로 나온 도파민의 흡수를 저해한다
각성제 (안페타민)	코카인과 같은 작용을 하며 도파민의 과잉분비를 촉진한다
몰핀	오피오이드 수용체를 거쳐 도파민 을 활성화 시킨다
알코올	GABA수용체 기능을 촉진하고 도파민을 일시적으로 증가시킨다
담배	니코틴성 아세틸콜린 수용체의 자극에 의한 도파민의 분비를 촉진시키고 흡수를 저해한다

약물의 작용에 의해 도파민 양이 증가하고 도파민의 과잉작용에 의해 이상한 흥분·쾌감이 일어나고 행복감을 얻는다

약물을 습관적으로 섭취하면 본래의 도파민 분비 기구의 기능이 저하되기 때문에 흥분·쾌감을 얻기 위해 약물(대체)에 의존한다

그림 1 도파민의 분비

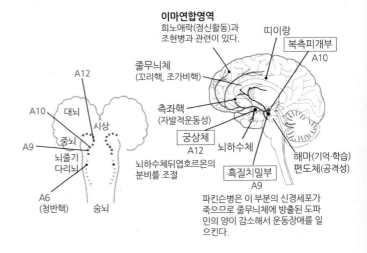

이마연합영역
희노애락(정신활동)과 조현병과 관련이 있다.

줄무늬체 (꼬리핵, 조가비핵)

측좌핵 (자발적운동성)

궁상체
A12

뇌하수체

뇌하수체뒤엽호르몬의 분비를 조절

A10 대뇌

A10 중뇌

시상

A9 뇌줄기 다리뇌

A6 (청반핵)

숨뇌

띠이랑

복측피개부
A10

해마(기억·학습)
편도체(공격성)

흑질치밀부
A9

파킨슨병은 이 부분의 신경세포가 죽으므로 줄무늬체에 방출된 도파민의 양이 감소해서 운동장애를 일으킨다.

 용어 이마연합영역(전두연합영역, frontal association area), 띠이랑(대상회, cingulate gyrus), 줄무늬체(선조체, corpus striatum), 꼬리핵(미상핵, caudate nucleus), 조가비핵(피각, putamen), 청반핵(nucleusloci cerulei)

Q24 신경으로 어떻게 정보가 전달되는가?

A 전기신호는 신경세포안 (축삭)을 통해서 전달한다.
신경세포들 사이에서는 신경전달물질이 다음 신경세포로 정보를 전달한다.

신경세포는 몇몇 돌기를 갖고 있다. 그 중에서 가장 긴 돌기를 축삭이라 하는데 그 돌기 안으로 정보가 전달된다. 전기제품의 전기코드라고 상상해 보자.

정보(자극)가 없는 상태에서는 축삭의 바깥에는 나트륨이온이 많고 안쪽에는 칼륨이온이 많이 존재하는데 내외에서 물질의 이동은 거의 없다. 이렇게 균형을 이룬 상태를 휴지전위라고 부른다. 휴지전위는 신경세포에서는 –70～–60mV 정도이다.

그러나 신경세포가 정보를 받아들이면 그 자극으로 인해 세포막에 있는 이온을 통과시키는 구멍(채널)이 열리고 나트륨이온은 세포막 안으로 칼륨이온은 세포막 밖으로 이동하는데 그에 따라 전위가 상승한다. 전위가 휴지전위인 마이너스(–)에서 제로(0) 가까이 가고 더욱 상승하면 플러스(+)로 대전한다(+와 –가 역전될 때). 이때 활동전위라는 전기신호가 발생한다. 이 신호가 발생한 부위와 바로 옆에 있는 부위 사이에 전위차가 생기고 양극(+)에서 음극(–) 쪽으로 전류가 흐른다. 이 전류를 국소전류라고 하는데 국소전류에 의해 자극을 받은 옆에 있는 부위가 흥분을 하고 또 그 옆의 부위로 전달되어 점차 이 흥분이 축삭 내에 전달되어 간다.

그리고 정보가 축삭의 끝부분까지 가면 시냅스라는 공간이 있는데 여기에서 다음 신경세포로 정보를 전달한다. 그러나 여기에는 틈이 있어서 활동전위를 직접 전할 수 없다. 그래서 시냅스에 신경전달물질을 방출해서 「정보가 왔으니 나트륨채널을 열자」라고 자극을 다음 신경세포로 준다. 다음 신경세포의 세포막에 있는 이온을 통과시키는 채널이 열리면서 나트륨이온이 세포 안으로 들어가 활동전위가 발생하고 정보가 전달된다(**그림 1**).

이 신경전달물질은 뇌의 부위나 작용에 따라 다양하다. 예를 들면 뇌를 각성시켜 활성화시키는 신경전달물질은 도파민, 이와는 반대로 과잉 활동을 억제하는 것은 세로토닌이다.

그림 1 **신경 내에서의 신호전달 방법**

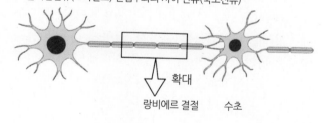

A. 말이집섬유(도약전도) 인접부와의 사이 전류(국소전류)

확대

랑비에르 결절   수초

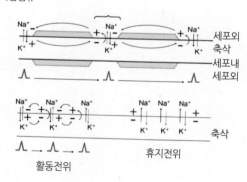

B. 민말이집섬유

활동전위   휴지전위

Q25 반사 신경이란 어떤 신경인가?

A

외부로부터의 자극에 대해 무의식중에 일어나는 반응을 반사라고 하며 이와 관련 있는 신경이 반사 신경이다.

뜨거운 것을 만지면 무의식중에 순간적으로 손을 뗀다. 이것은 뜨겁다는 정보가 감각신경을 통해 척수까지 도착하면 척수 내에서 바로 그 정보가 운동신경에 직접 전달되고 손을 떼기 위해 근육을 수축시키기 때문이다. 척수가 뇌까지 정보를 전달할 시간이 없다는 판단을 내림에 따라 인체가 화상을 입지 않도록 자동적으로 위험을 회피하는 것이다.

발바닥으로 깨진 화병을 밟았을 때도 마찬가지로 금방 「아프다!」고 발을 들어 올린다. 이들 일련의 자극전달경로를 반사경로라고 한다. 이 경로를 구성하는 신경을 반사 신경이라고 하는데 감각신경과 운동신경, 경우에 따라서는 이 사이를 연결하는 연합신경을 갖는 것도 있다(그림 1).

또, 손이나 발을 끌어당기듯이 구부려 근육(굴근)을 수축시키는 반사를 굽힘근반사, 급하게 근육을 뻗는 반사를 폄반사라고 한다. 이들은 척수에 중추가 있어서 척수반사라고 하는데 일종의 방어반사라고 생각할 수 있다.

반사경로인 척수에서의 시냅스결합이 하나일 때 이 것을 단시냅스반사라 하고 다수의 시냅스가 개재하는 경우를 다시냅스반사라고 한다. 이 척수반사를 사용해 뼈대근은 너무 수축하거나 너무 신장하지 않도록 하는 장치를 만든다.

지금까지 서술한 뼈대근의 반사 외에도 내장이나 혈관운동에 관련된 반사를 자율신경반사라고 한다. 배변·배뇨·발기 등의 반사중추는 척수에 있는데 이들 중추에 장해가 있으면 대소변의 실금, 실뇨, 발기 장해 등이 생긴다.

반사에는 여러 가지 종류가 있는데 밝은 곳에 나가면 눈에 들어오는 빛의 양을 조절해서 동공이 작아지는 동공반사가 있다. 이것은 텔레비전에서도 친숙한데 의사가 환자의 사망확인을 할 때 펜라이트를 꺼내 눈을 비추는 장면을 본 적이 있을 것이다. 사망한 신경은 반사하지 않아서 동공은 열린 채 그대로이다. 그외에도 이물을 삼킬 때 이물을 토하려고 하는 구토반사 등도 자율신경반사의 하나이다.

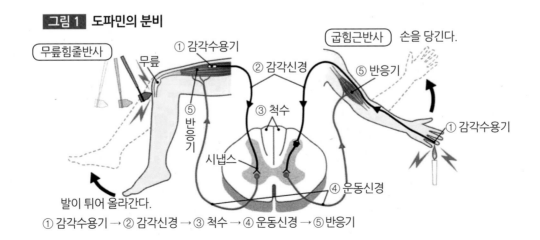

그림 1 도파민의 분비

① 감각수용기 → ② 감각신경 → ③ 척수 → ④ 운동신경 → ⑤ 반응기

용어 ▷ 무릎힘줄반사(슬개건반사, patellar tendon reflex), 굽힘근반사(굴곡반사), 굽힘근반사(굴근반사, flexor reflex)

PART 4

비뇨기

Q1 소변은 어떻게 만들어 지는가?
그리고 하루에 얼만큼 나오는가?

A 소변은 콩팥이 혈액을 여과함에 따라 생긴다.
기온이나 마시는 수분량에도 영향을 받는데
어른의 경우 하루에 약 1.5L의 소변이 나온다.

사람은 음식이나 음료수에서 영양분을 섭취하고 체내에서 생긴 노폐물과 남은 수분이나 나트륨, 칼륨 등의 미네랄을 소변으로써 체외로 배출한다. 그 소변을 만드는 역할을 담당하는 것이 콩팥이다.

콩팥은 허리 위치보다 조금 높은 등 쪽에 좌우 두 개가 있다. 콩팥에는 전신을 돌아 노폐물 등의 불필요한 것을 싣고 온 혈액을 여과하기 위한 네프론(nephron)이라는 장치가 있다. 네프론은 토리라 불리는 모세혈관이 털뭉치처럼 뭉친 둥근 부분과 그것을 싼 토리주머니, 그것에 이어지는 콩팥요세관으로 구성되어 있다. 네프론은 하나의 콩팥에 약 100만 개 정도 있다고 한다(**그림 1**).

심장에서 한 번에 나오는 혈액(1회 박출량)의 약 1/5이 콩팥동맥에서 콩팥으로 흘러 들어간다. 용량으로 따지면 약 800~1,000mL/분의 혈액이 흘러 들어가 토리를 통과할 때 여과된다. 이것을 원뇨라고 하는

데 하루에 약 150L(목욕통 한 통 분량)를 만들 수 있다. 그 원뇨는 토리에 이어지는 콩팥요세관이라는 관을 통과하는 동안 주위를 둘러싼 모세혈관에 수분의 99%가 재흡수되어 소변이 농축된다. 당분 등의 아직 인체에 필요한 것도 여기에서 다시 한 번 흡수되어 재사용된다. 거기에서 최종적으로 남은 것이 체외로 배출되는 소변이다. 어른의 경우 평균 1회 300mL를 하루 5회 전후로 배뇨한다(**그림 2**).

만약 소변이 배출이 안 되면 인체 안에 노폐물이 쌓이고 유해 물질이 증가해 결국엔 뇌신경을 침범해 의식을 저하시키거나 호흡곤란을 일으킬 가능성이 있다. 매일 거의 같은 횟수, 비슷한 양의 소변이 나온다는 것은 아주 중요하다. 소변이 나오지 않을 때는 인체가 경고를 보내는 거라고 생각해서 가능한 한 빨리 의사에게 진찰을 받도록 한다.

그림 1 네프론

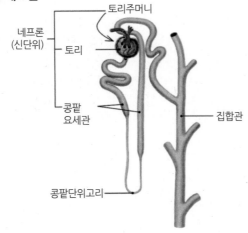

네프론(신단위), 토리주머니, 토리, 콩팥요세관, 집합관, 콩팥단위고리

그림 2 하루에 필요한 소변량

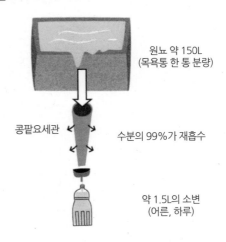

원뇨 약 150L(목욕통 한 통 분량)
콩팥요세관
수분의 99%가 재흡수
약 1.5L의 소변(어른, 하루)

 토리주머니(glomerular capsule), 토리(사구체, glomerulus), 콩팥요세관(요세관, renal tubule), 집합관(collecting tube),
콩팥단위고리(nephron loop)

Q2 여자가 방광염에 잘 걸리는 것은 왜일까?

A 남성에 비해 여성의 요도는 약 4cm로 짧고
또 질이나 항문에 가깝기 때문이라고 알려져 있다.

방광염이란 요도구멍에서 대장균 등의 세균이 침입해서 방광에 염증이 일어나는 병이다. 방광염이 되면 소변을 모으거나 배뇨를 하는 방광의 작용에 지장이 생길 수도 있다.

일반적으로 여성에게 일어나기 쉽다고 알려져 있는데 그 이유는 여성의 요도는 약 4cm로 남성에 비해 짧고(그림 1) 세균이 있는 질이나 항문이 요도구멍의 근처에 있어서 외부에서 세균이 방광으로 들어오기가 쉽기 때문이다.

그 때문에 여성의 요도에는 항상 세균이 침입해 있지만 모든 여성이 방광염에 걸리는 것은 아니다. 원래 방광 내의 소변에는 소량의 세균이 존재해서 방광은 세균에 대한 저항력이 있다. 건강한 사람의 경우는 면역기구가 작용을 해서 세균이 침입을 해도 활동이 억제되어 증가하지 않는다. 그러나 과로나 스트레스로 면역력이 저하되어 있으면 요도에 침입한 세균의 증식을 억제하기 힘들고 점막의 염증을 일으키게 되는데 이것이 방광염의 원인이 된다(그림 2).

방광염의 원인이 되는 세균은 대장균 외에 포도구균, 세라치아균, 프로테우스, 폐렴간균, 장구균 등이 있는데 대장균이 원인균의 약 80%를 차지하고 있다고 한다. 방광염의 원인이 되는 세균감염은 요도부근의 질이나 항문이 배변 후에 잘 처리되지 않거나 청결하게 유지되지 않아 일어난다.

방광염에 걸리지 않으려면 방광염이 되는 요소를 차단하면 된다. 요컨대 「방광에 균이 침투하지 못하게 한다」「방광에서 균을 증식시키지 않는다」「면역력을 저하시키지 않는다」는 세 가지를 지키는 것이다.

방광의 주요 작용의 하나인 배뇨에는 요도나 방광에 존재하는 세균을 소변으로 내보내는 역할이 있다. 화장실에 가고 싶은데 참는 것을 몇 번 반복하면 세균감염이 일어나기 쉽다. 수분을 많이 섭취한다, 피로나 스트레스가 쌓이지 않게 한다, 잠을 충분히 잔다, 균형 있는 식사를 하고 급격한 다이어트는 하지 않는다 등 일상의 작은 주의로 예방할 수 있다.

그림 1 요도의 남녀 차이

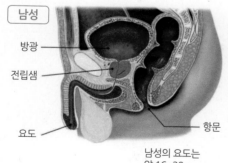

남성

방광
전립샘
요도
항문

남성의 요도는
약 16~20cm

여성

자궁
방광
요도
곧창자
항문
질
요도구멍

여성의 요도는
길이 4~5cm

그림 2 방광의 구조 (남성)

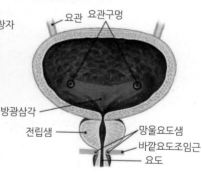

요관 요관구멍

방광삼각
전립샘
망울요도샘
바깥요도조임근
요도

용어 전립샘(전립선, prostate), 요도구멍(요도구, urethral orifice), 요관(ureter), 요관구멍(요관구, ureteral opening), 방광삼각(trigon of urinary bladder), 망울요도샘(쿠퍼샘, Cowper's gland), 바깥요도조임근(external urethral sphincter)

Q3 소변은 왜 노란색일까?

A 소변에 포함된 성분 중의 하나인「유로크롬(urochrome)」이라는 색소에 의해 소변은 노랗게 보인다.

소변은 체내의 노폐물을 인체 밖으로 배출하는 역할이 있는데 그 색깔은 건강상태를 반영하기 때문에 건강의 바로미터라고 할 수 있다. 소변의 색은 건강한 경우엔 노란색에서 옅은 노란색이다.

적혈구는 오래 되면 (수명 약 120일) 지라나 간장에서 파괴된다. 그러면 적혈구 안에 있던 헤모글로빈 (혈액 안에서 산소나 이산화탄소를 운반한다)이 더욱 분해되어 빌리루빈이 된다. 빌리루빈은 간장으로 돌아가 쓸개즙을 만드는 원료가 된다. 쓸개즙에 함유된 빌리루빈이 장으로 배설되고 장내 세균에 의해 분해된 것이 유로빌리노겐인데 대부분은 변과 함께 배설된다. 또, 그 일부는 장관에서 흡수되어 다시 간장으로 돌아가 혈액을 통해 콩팥을 돌고 요속으로 배설된다. 유로빌리노겐은 콩팥에서 산화되어 유로빌린을 거쳐 유로크롬이 된다. 유로크롬에는 헤모글로빈이나 근육 안에 함유된 미오글로빈의 분해물질인 유로크롬B와 체내 조직 단백질이 파괴되어 생긴 유로크롬A가 있는데 이것이 소변을 노랗게 만든다(그림 1).

아침에 눈을 떠서 제일 처음 내보내는 소변의 색은 짙은 황갈색이다. 이것은 인체의 수분이 수면중에 빼앗겨 소변이 농축되었기 때문이다. 또, 격한 운동 등으로 많은 땀을 흘렸거나 수분의 보급이 잘 되지 않았을 때도 소변색은 짙은 황갈색이 된다. 감기 등의 발열 시에도 소변색이 짙어지지만 일시적인 것이니 걱정할 것은 없다. 또, 복용한 약성분의 영향으로도 소변색은 짙은 색이 된다.

음식물의 색소나 착색료 중에는 그 색이 소변으로 나오는 것도 있다. 이 경우는 적갈색이나 적색, 짙은 녹색 등 여러 가지 색이다. 비타민드링크를 마신 후의 소변은 형광황녹색을 띄지 않던가. 소변색은 인체의 상태나 계절 등으로 변화한다.

또, 당뇨병이나 요붕증 등의 경우는 소변량이 많기 때문에 소변 속의 유로크롬이 희석되어 무색에 가깝다. 다만, 건강한 사람이라도 다량의 물을 마시거나 하면 거의 무색의 소변이 나오기도 한다.

그 밖에 병적인 경우로써 짙은 황색에서 갈색인 경우는 간장기능에 장해가 있지 않을까 의심된다. 적색의 경우는 콩팥돌 이나 콩팥, 방광, 요도라는 장소에 종양이 생긴 것도 생각할 수 있다.

그림 1 소변의 색 유로크롬

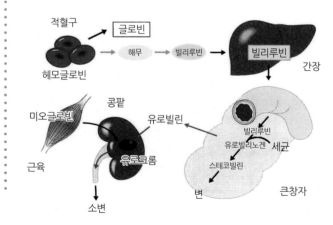

Q4 소변을 참다가 화장실에서 볼일을 보면 인체가 부르르 떨리는 것은 왜그런가?

A 「체온을 빼앗기기 때문이다」「호르몬 작용」등 여러 가지 설이 있는데 확실한 원인은 명확하지 않다.

소변을 본 후에 부르르 하고 인체가 떨린 적이 있다. 특히 추운 날 옥외 화장실에서 소변을 볼 때에 더욱 그럴 것이다.

이 원인으로 여러 가지 설이 있다. 옛날부터 전해 내려오는 것에 「소변을 보는 것에 의해 체온을 빼앗기기 때문이다」라는 설이 있다. 본인도 어릴 때 누군가에게 그 이야기를 듣고는 정말 그럴 것이라고 생각했던 기억이 있다. 그러나, 이 부분에는 반론도 많은데 체온과 같은 온도의 수분(소변)이 1회 배뇨분(300mL) 정도 없어졌다고 해도 체온에는 거의 변화는 없다는 의견이다. 분명 소변의 온도는 체온과 거의 같을 것이다. 그 같은 온도의 수분이 조금 없어졌다고 해서 체온이 내려간다고는 생각하기 어렵다.

두 번째는 「소변을 볼 때에 방광이 수축하고 뱃속의 압력이 내려가기 때문에 그것을 보충하기 위해 전신의 혈액이 배로 몰려 혈압과 체온이 저하된다. 그래서 혈압과 체온을 회복시키기 위해 부르르 떨리는 현상이 일어난다」라는 의견이다. 실제로 얼만큼 체온의 저하가 일어나는지는 확실하지 않지만 첫 번째의 의견보다는 조금 설득력이 있다는 생각이 든다.

그 밖에도 「자율신경계라 불리는 스스로 조절할 수 없는 신경계가 관계되어 있다」는 설도 있다. 이 자율신경계에는 교감신경과 부교감신경 두 개가 있어서 각각 균형을 맞춰 긴장 상태와 이완 상태를 만들어 내는데 소변을 참는 상태는 교감신경이 우위에서 작용하고 있다. 소변을 볼 때는 부교감신경이 작용하여 이완 상태

가 된다. 그 스위치가 바뀔 때의 호르몬 생성의 변화가 부르르 떨리는 원인이 아닐까 하는 의견이다.

어쨌든 확실한 원인이나 기제는 알려지지 않았다 **(그림 1).**

그림 1 교감신경과 부교감신경의 관계

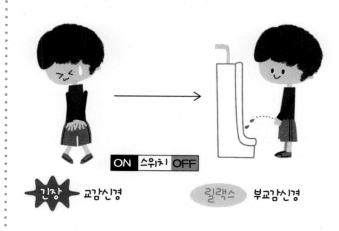

memo

Q5 소변은 도중에 멈출 수 있을까?

A 개인차는 있지만 어느 정도의 시간이라면
멈추는 것이 가능하다고 생각한다.

건강검진이나 진찰에서 요검사를 받을 때가 있다. 그때 「첫 소변은 버리고 중간의 소변을 용기에 담아 오세요」란 소리를 듣고 도중에 소변을 멈추고 용기에 채취했던 경험이 있을 것이다.

사람이 소변을 볼 때는 속요도조임근과 바깥요도조임근이라는 두 개의 근육이 관여하고 있는데 방광에서 소변이 제멋대로 흐르지 않도록 밸브의 역할을 하고 있다. 방광에 소변이 차면 그 정보가 뇌에 도착하고 뇌에서 배뇨의 명령이 내려진다. 그 명령을 받으면 속요도조임근은 자동적으로 느슨해진다. 그러나 방광에 요가 차서 요의를 느끼는 것은 시간이나 장소를 불문한다. 그래서 또 하나의 근육인 바깥요도조임근을 조여서 배뇨를 참는 것이다(그림 1).

그리고 화장실에서 바깥요도조임근을 풀어놓으면 배뇨가 시작된다. 즉, 속요도조임근은 자신의 의사로 조절할 수 없지만 바깥요도조임근은 자신의 의사로 조절할 수 있다. 다만, 조절이라고는 해도 소변을 참는 데에도 한계가 있다는 것은 모두 알고 있는 대로일 것이다.

그래서 바깥요도조임근을 잘 조절하면 어느 정도는 「소변을 중간에 멈춘다」는 것이 가능하다. 요도조임근은 골반체조 등의 근육을 강화시키는 운동에 의해 자신의 의사로 쉽게 조절할 수 있다고 한다. 속바깥 요도조임근을 단련시키므로 오랜 시간 소변을 멈추는 것이 가능하다고 생각할 수 있다. 또 고령이 되면 자주 화장실에 가고 싶어지는 「빈뇨」나 「실금」 증상으로 고민하는 사람도 많다. 그런 증상의 경감에도 요도조임근의 강화는 효과가 있다고 한다.

그러나 아무리 소변을 도중에 멈추는 것이 가능하게 되어도 소변을 참는 것은 인체에 좋은 것은 아니다. 잔뇨감이 계속되고 정신적으로도 좋다고는 할 수 없으니 필요 이상으로 참는 것은 권하지 않는다.

그림 1 배뇨의 장치와 배뇨반사

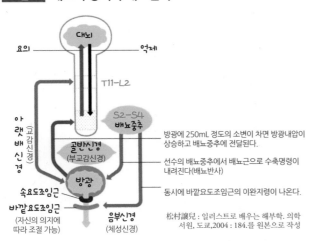

방광에 250mL 정도의 소변이 차면 방광내압이 상승하고 배뇨중추에 전달된다.

선수의 배뇨중추에서 배뇨근으로 수축명령이 내려진다(배뇨반사).

동시에 바깥요도조임근의 이완지령이 나온다.

松村讓兒 : 일러스트로 배우는 해부학. 의학서원, 도쿄,2004 : 184.를 원본으로 작성

용어 속요도조임근(내요도괄약근, internal urethral sphincter)
바깥요도조임근(외요도괄약근, external urethral sphincter)
배뇨중추(micturition center),
아랫배신경(하복신경, hypogastric nerve,),
골반신경(pelvic nerve), 배뇨근(detrusor),
배뇨반사(micturition reflex), 음부신경(pudendal nerve)

memo

Q6 수분을 섭취하지 않아도 추울 때나 술래잡기를 할 때 공연히 화장실에 가고 싶어지는 것은 왜일까?

A 추울 때는 혈관이 수축하기 때문에, 술래잡기를 할 때는 「발견될 지도 모른다」는 긴장감 탓으로 화장실에 가고 싶어진다.

소변을 배출하는 이유는 주로 혈액 속에 불필요해진 것을 체외로 배출하기 위함과 체내의 수분량을 일정하게 유지하기 위함이다. 화장실에 가고 싶어지는 원인은 소변량이 많아서 일어나는 경우와 소변배출에 문제가 있어서 일어나는 경우가 있다.

소변량이 많아지는 다뇨에 의한 빈뇨의 원인으로는 수분을 너무 취하거나 요붕증, 이뇨작용이 있는 것을 먹었을 때 등이 있다. 소변량의 조절에는 호르몬의 작용이 관련되어 있다. 그 대표적인 호르몬이 항이뇨호르몬(ADH : 바소프레신)인데 콩팥의 집합관에서 수분의 재흡수를 촉진하는 작용을 한다.

한편, 소변배출에 문제가 있어서 일어나는 빈뇨로는 정신적인 긴장이 원인이 되기도 한다. 겨울의 추운 시기나 시험 전에 긴장했을 때 등 화장실에 가고 싶을 때가 있다. 인체가 차가울 때는 체온저하로 혈관이 수축하고 방광 혈액 흐름이 나빠진다. 그 때문에 재흡수되는 수분량이 적어 소변량이 많아짐과 동시에 방광의

변화를 민감하게 느껴 요의를 느끼는 것이다. 이것은 자율신경반사의 하나이다. 인체는 스트레스를 받으면 먼저 교감신경이 긴장하지만 반드시 그 후에 부교감신경반사가 일어나 인체의 균형을 유지하려고 한다(항상성). 자율신경의 레벨이 사람에 따라 다르기 때문에 그 반응의 정도도 사람마다 다르다. 춥거나 차가운 자극에 재채기를 하거나 부르르 떨거나, 화장실의 횟수가 증가한다(그림 1). 모두 부교감신경의 작용에 의한 것인데 혈관을 확장해서 혈류를 증가시키는 반응이다. 이와 같이 차갑다는 스트레스를 제거하고 체온이 내려가는 것을 막고 있다.

또, 긴장하면 신경이 과민해져서 방광중추가 방광의 아주 작은 변화도 민감하게 받아들여 소변이 마려워진다. 이러한 긴장과 같은 정신적인 스트레스도 춥거나 차가운 자극에 대한 반응과 같은 구조로 스트레스를 체외로 제거하기 위해 요의를 불러일으킬 수 있다.

그림1 배뇨의 장치와 배뇨반사

memo

Q7 물이 흐르는 소리를 들으면 요의가 일어나는 것은 왜일까?

A 「물이 흐르는 소리」 = 「소변 소리」라는 이미지가 뇌에 각인되어 있기 때문에 일어나는 조건반사라 할 수 있다.

별로 요의를 느끼지 않는데 강물소리를 듣거나 부엌에서 씻는 소리를 들으면 화장실에 가고 싶었던 경험은 없는가? 추운 것도 긴장한 것도 아닌데 물소리를 들으면 소변이 마려운 것은 왜일까?

이것은 조건반사에 의한 것이라고 생각해도 좋다. 사람은 기저귀를 벗고 혼자서 소변을 보게 된 이후 무의식중에 소변을 볼 때 「소리」를 들어 왔다. 또 사람은 배뇨 후에 물로 손을 씻고 그 물이 흐르는 소리도 듣는다. 매일 몇 번이나 몇 년에 걸쳐서 반복해서 들으니 모르는 사이에 「물이 흐르는 소리」 = 「소변 소리」라는 이미지가 뇌에 각인되었다. 그래서 「물이 흐르는 소리」 = 「소변 소리」 = 「배뇨」라는 신경회로가 형성된 것이다 (그림 1, 2).

이에 따라서 「물이 흐르는 소리」를 들으면 요의를 느낀다. 또, 요의를 일으키는 조건은 「물이 흐르는 소리」만이 아니다. 소변의 「냄새」도 그 하나이다. 매번 배뇨시에 「냄새」를 맡고 있기 때문에 그에 따라서 요의를 불러일으키는 경우도 있다. 최근에 화장실에는 신경 쓰이는 소리를 없애기 위해 의음장치(일명 에티켓벨)가 붙어 있거나 좀 고급스런 호텔 화장실에는 「시냇물 소리나 새 소리」등 BGM이 흐르기도 한다.

건강한 사람인 경우는 「물이 흐르는 소리」나 「냄새」의 조건반사로 요의는 느끼지만 소변이 새는 일은 없다. 그러나 숨은 배뇨장애라고 불리는 증상이 있으면 조건반사만으로 소변이 새어 나올 수 있다. 따라서 샤워소리를 듣기만 해도 소변이 새는 등 증상이 빈번하게 있을 경우엔 한 번 의사의 진찰을 받아 보는 게 좋다.

그림 1 고전적 조건형성

조건 자극

무조건 자극

그림 2 조건반사

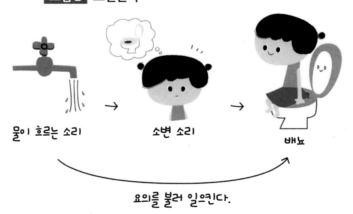

물이 흐르는 소리 → 소변 소리 → 배뇨

요의를 불러 일으킨다.

---

memo

Q8 염분은 혈압에 어떻게 영향을 주는 걸까?

A 염분을 너무 섭취하면 혈압이 상승할 가능성이 높아진다.

사람의 인체에 염분(NaCl : 염화나트륨)이 필수불가결한 것임을 말할 필요도 없다. 사람의 인체를 구성하고 있는 세포의 내측에는 상당히 많은 칼륨이, 외측에는 상당히 많은 나트륨이 존재하고 있다. 나트륨은 칼륨과 협력해서 세포의 내측과 외측의 체액을 균형 있게 유지하거나 성분을 조정하는 작용을 하기 때문에 체액속의 나트륨농도는 정해져 있다(**그림 1**).

그러나 식사 등에서 필요 이상으로 염분을 섭취하면 인체는 나트륨 농도를 내리려고 한다. 짜고 매운 것을 먹으면 목이 마르고 물이 먹고 싶어지는 것은 그 때문이다. 나트륨은 물과 친해서 금방 달라붙는 작용이 있기 때문에 물을 체내에 넣으면 혈액속의 수분(액체성분)이 증가한다. 혈액량이 증가하면 심장에서 혈액을 보낼 때 보다 큰 힘이 필요하게 되기 때문에 혈압이

올라간다. 혈액속에 증가한 나머지 나트륨과 수분을 콩팥에서 여과하기 때문에 더욱 혈압이 상승한다. 또, 나트륨에는 근육을 수축시키는 작용이 있다. 나트륨이 증가하면 혈관벽의 근육이 아주 작은 교감신경의 자극에도 쉽게 수축하게 되어 혈관의 직경이 좁아진다. 그 결과 혈압이 상승한다(**그림 2**).

인스턴트식품이나 패스트푸드, 스낵과자 등에는 염분이 많이 함유된 것이 있다. 건강을 위해 전통 음식을 기본으로 하는 상차림을 권하지만 간장, 된장, 식염 등은 너무 사용하지 않도록 하자.

또, 현대인은 여름이라도 에어컨이 있는 환경에서 생활하기 때문에 땀을 흘리는 데에 따른 염분조절이 어려워진 것도 고혈압의 원인이라 할 수 있다(**표 1**).

그림 1 체액의 구분과 그 조성

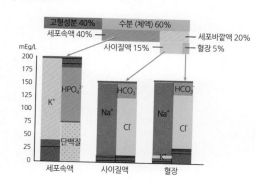

그림 2 염분과 혈압의 관계

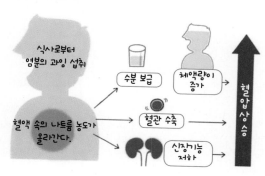

표 2 고혈압의 원인

● 유전
● 고령
● 염분과잉섭취
● 흡연
● 스트레스
● 과로
● 음주
● 운동 부족
● 비만

 세포속액(세포내액, intracellular fluid; ICF), 세포바깥액(세포외액, extracellular fluid; ECF), 사이질액(간질액, interstitial fluid), 혈장(blood plasma)

Q9 맥주를 마시면 통풍에 잘 걸린다는데, 정말인가?

A 맥주에는 통풍의 원인인 퓨린이 함유되어 있다.
다량으로 계속 마시면 통풍이 될 가능성은 있다.

통풍은 옛날부터 맛있는 것만 먹는 사람이 걸린다, 「사치스런 병」 등으로 불리고 있다. 실태는 혈액속의 요산농도가 높아지고 그것이 결정화돼서 백혈구가 이 물질로 인식을 하고 공격하기 때문에 염증이 일어나고 그로 인해 통증을 일으키는 병이다. 「바람이 불기만 해도 통증을 느낀다」고 할 정도로 아프기 때문에 「통풍」이라는 이름으로 불린다. 요산의 결정은 관절(특히 엄지발가락)에 많이 모이기 때문에 엄지발가락 부근이 심한 통증에 시달릴 때가 많다(그림 1).

우리 몸에는 식사에 의해 흡수된 퓨린과 신진대사로 오래된 세포핵산의 분해나 심한 운동에 의해 체내에서 만들어진 퓨린이 존재한다. 그 퓨린은 간장에서 요산으로 대사되어 콩팥에서 노폐물로 여과되고 소변으로 배설된다. 그래서 퓨린을 많이 함유한 식품을 과잉 섭취하면 요산치가 높아질 가능성이 있다.

퓨린은 세포의 핵에 포함되어 있어서 세포수가 많은 식품(간이나 멸치 등)에 다량 함유되어 있다. 맥주에도 퓨린은 함유되어 있는데 눈에 띄게 높은 것은 아니다. 그러나 맥주를 다량 섭취하면 결과적으로 많은 퓨린을 섭취하는 것이 된다. 또, 알코올 자체가 요산치를 올리는 것으로 알려져 있다. 그 때문에 맥주를 마시면 통풍이 된다는 이미지가 정착해 있다고 생각된다. 상표에 따라 다르겠지만 맥주 350mL 캔에 함유된 퓨린은 20mg 정도 된다. 퓨린은 맥아에 많이 함유되어 있기 때문에 맥아비율이 낮은 발포주는 맥주의 약 반 정도 함유량이다.

의외이지만 퓨린은 물에 녹기 때문에 고기나 생선으로 국물을 우린 닭국물스프나 돼지뼈스프에도 많이 함유되어 있다. 라면은 국물까지 마시면 요주의이다. 낫토도 의외로 퓨린이 많은 식품 중 하나이다.

그 밖에도 비만이나 정신적인 스트레스, 심한 운동, 약의 부작용에 의해 요산치가 올라가는 것도 들 수 있다. 또 여성은 호르몬의 영향으로 요산치가 잘 올라가지 않기 때문에 통풍환자의 99%는 남성이다. 통풍에 걸리지 않기 위해서는 알코올만이 아니고 일상의 식사 균형이나 스트레스가 쌓이지 않도록 매일 매일의 생활에도 주의할 필요가 있다(표 1).

그림 1 통풍이 일어나는 흐름

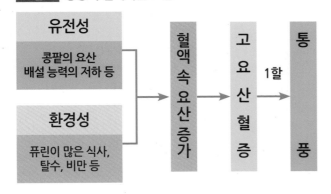

표 1 통풍에 효과적인 것, 피해야할 식품

통풍에 효과가 있는 것	가능한 한 피해야 할 것
딸기, 블루베리, 앵두, 물(하루에 2L 이상), 운동, 감량	맥주, 간, 고등어, 참치, 정어리, 꽁치, 명란젓, 오징어, 조개, 멸치, 성게, 게, 새우

PART 5

피부

Q1 손톱 뿌리 쪽의 하얀 부분은 무엇인가?

A 손톱의 반달은 새로 만들어진 새로운 손톱이다.
손톱의 반달의 크기는 건강에 좌우 되는 것이 아니다.

손톱 뿌리 쪽의 하얀 부분은 손톱반달이라 한다. 손톱반달은 이제 갓 만들어진 새로운 손톱이다. 손톱반달은 유아에게는 잘 나타나지 않고 20세 경 출현율이 최고에 이른다. 이후 거의 변화가 없는데 50세를 지나 노화와 함께 감소한다.

그러나 반달의 크기에는 개인차가 있고 개개의 손가락에 따라서도 다르다. 엄지손가락의 손톱반달 출현율은 약 95%, 새끼손가락은 약 35%이고, 열 개의 손가락 중 일곱개 이상 손톱반달이 있는 사람은 약 52%이고, 반대로 전혀 없는 사람도 약 3% 있다는 조사 결과가 있다. 또, 손톱반달은 영양 상태에 따라 미묘하게 변화할 수도 있다(**그림 1**).

그런데, 「손톱반달이 보이지 않으면 건강하지 않다」고 하는 말이 있는데 의학적인 근거는 없다. 손톱판(nail plate)이 완성되지 않은 손톱반달의 뿌리 부분은 부드러운 살갗(손톱 끝 아래 허물)으로 덮여 있어서 새로 생긴 손톱을 보호하는 역할이 있다. 또, 이 부분에는 수분이 많이 함유되어 있어서 하얗게 보인다. 이 반월이 많이 보이는지 어떤지는 타고난 유전과 수작업을 하는 빈도나 연령 등과 관계가 있다.

다만 손톱반달의 색은 건강에 관련이 있다. 푸른 색을 띠거나 갈색으로 되어 있거나 붉은 색을 띨 경우는 전신질환이 있는지를 생각해 볼 수 있다. 한 번 전문의사에게 진찰을 받아 보는 게 좋을 지도 모른다.

그림 1 손톱반달의 크기

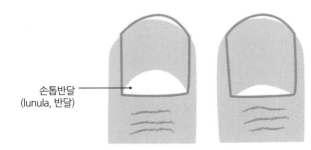

손톱반달
(lunula, 반달)

손톱반달의 크기는 건강 상태와 관계가 없다.

memo

Q2 손톱은 무엇 때문에 나있는 것인가?
손톱은 어떻게 자라는 것인가?

A 물건을 잡거나 미세한 작업이 가능한 것은
지탱해주는 손톱이 있기 때문이다.
사용하면 없어지기 때문에 매일 조금씩 자라는 것이다.

손톱은 동물 중에서도 파충류나 조류, 포유류에 있다. 손가락 끝의 배후에 있는 표피의 각질층이 변화하고 경화해서 생긴 판상 피부의 부속기관이다. 또, 체모나 이빨처럼 비늘에서 파생된 상동기관인데 표피로부터 변화해서 생겼다고 해서 털과 함께 「각질기」라고도 한다.

손발톱은 손발가락 끝을 보호하는 작용이 있어서 손이나 발을 움직일 때 끝에 힘을 줄 수 있는데 잘 걸을 수 있는 것도 발톱이 있기 때문이다. 또, 물건을 잡으면서 손끝에 힘을 줄 수 있는 것도 지탱하는 손톱이 있기 때문이다.

병이나 상처를 입어 결손이 일어날 수도 있다. 사람의 손톱이 완전히 재생하는 데는 3~6개월, 발톱은 더욱 긴 시간이 걸린다. 성인의 손톱은 하루에 약 0.1mm 자라는데 좌우의 차이는 없다. 또, 젊을수록 더 빨리 겨울보다 여름이 빨리 자란다고 한다.

상처를 입지 않더라도 손톱은 손가락을 사용함에 따라 마찰로 조금씩 사라지기 때문에 매일 조금씩 자란다.

사람이나 원숭이는 손톱이 평조로 진화해서 물건을 집거나 조작할 수 있게 되었다. 그리고 딱딱한 손톱 덕분에 물건을 식별하는 능력, 사이에 끼우는 능력 등도 발달해 미세한 작업이 가능하게 되었다. 또, 손톱은 동물의 경우 상대를 공격하거나 자신을 방어할 때 유용하다. 손톱은 동물에 있어서 중요한 역할을 하고 있다.

또, 손톱은 세균이나 알러젠 등을 옮겨서 전파시킨다. 손톱으로 긁으면 가려움증을 완화시킬 수 있지만 너무 자주 긁으면 습진 등의 피부증상을 악화시킬 수 있다.

Q3 손톱 뿌리는 어디까지 있을까? 피부 어디부터 연결되어 있는 걸까?

A 손톱은 「손톱바탕질」이라는 부분에서 만들어진 표피의 각질층이 판상으로 경화해서 생긴 피부의 일부이다. 일부는 「손톱바닥」에서도 만들어지는데 서서히 손톱판으로 이행한다.

손톱은 표피의 각질층이 변화하고 판상으로 경화해서 생긴 피부의 부속기관이다. 손톱은 주로 단백질의 일종인 케라틴으로 만들어 진다. 함수량은 약 15%, 지방량은 0.15~0.75%정도이다. 그 수분량은 환경에 좌우되는데 겨울 등 건조기에는 딱딱하고 깨지기 쉽다. 손톱은 메니큐어 등(화학약품)에 접촉하고 탈지, 탈수작용에 계속적으로 노출되면 수분량을 잃어버려 표면이 건조하고 극도로 갈라지거나 잘 부서지게 된다.

그 구조는 손톱 밖으로 나와 있는 부분을 「손톱판」, 피부에 숨겨진 부분을 「손톱뿌리」라 한다. 손톱은 「손톱바탕질」이라는 부분에서 만들어 지는데 손 끝을 향해 성장한다.

손톱과 접촉하고 「손톱판」을 올려 놓고 있는 피부는 「손톱바닥」이라 하는데 보통의 피부 같이 표피는 없고 진피 이하는 다른 피부와 같은 구조로 되어 있다(그림 1).

손톱은 매끈하게 손끝을 향해 뻗어 있다. 손끝부분의 「손톱판」은 「손톱바닥」과 분리되고 손끝으로 손톱이 돌출되어 있다. 손톱의 뿌리 부분은 피부에 숨겨져 있는데 유백색의 반달 모양 부분을 손톱반달이라고 한다. 이 부분의 손톱은 이제 갓 만들어져서 아직 완전히 각질화하지 않은 새로운 손톱이다(Q1, p88 참조).

손톱판은 손톱바탕질의 전층에서 만들어지는데 그 일부는 손톱바닥에서도 만들어 진다. 손톱바탕질의 표피는 비교적 두껍고 과립층은 없다. 서서히 손톱판으로 이행해서 근위부의 손톱바탕질은 상부손톱판을 만들고 원위부의 손톱바탕질로부터 하부손톱판을 만든다.

정상손톱판은 세 개의 다른 부위에서 발생한다.

① 손톱바탕질에 가까운 부위로부터 손톱판의 표재성 부분
② 손톱바탕질에 먼 부분에서 하부손톱판
③ 손톱바닥의 표피에서 손톱판아래 케라틴
따라서 손톱판의 표층과 심층에서는 각질의 성질이 다르다.

손톱의 딱딱함은 전부 균일하지 않다. 손톱이 손톱바닥과 밀착해 있는 곳은 강해서 간단히 빠지지는 않는다. 그러나 손끝에 손톱바닥에서 떨어져서 하얗게 보이는 곳(손톱을 자르는 곳)은 쉽게 부서지거나 꺾이거나 쉽게 잘리기도 한다.

그림 1 손톱의 구조

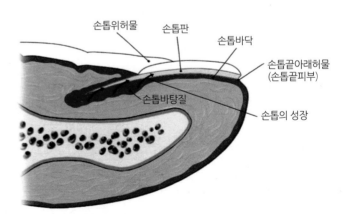

손톱은 「손톱바탕질」에서 만들어지고 손끝을 향해 성장한다.
손톱은 「손톱바닥」 위를 미끌어지듯이 해서 손끝을 향해 자란다.
손톱뿌리 부분은 피부에 숨겨져 있는데
반달 모양 부분을 「손톱반달」이라 한다.

용어 조상피(eponychium), 손톱바닥(조상, nail bed), 손톱판(조갑, nail plate), 손톱바탕질(손톱기질, nail matrix), 손톱위허물(조상피, eponychium)

Q4 백발은 왜 생기는 걸까?

A 백발의 원인은 「색소 줄기세포」의 고갈과 색을 만드는 멜라닌 색소를 분비하는 멜라노사이트의 감소이다.

한 올 한 올의 머리카락은 두피내의 「털주머니」라고 불리는 내부에 털유두라는 돌기가 있는데 모세혈관으로 운반되어 온 양분이 축적되어 있다. 이 털유두를 둘러싸고 모발을 만드는 털모세포가 있다. 모모세포는 털유두에서 양분을 받아 세포분열을 반복하고 모발을 만들어 낸다.

모발의 색은 검은색, 금색, 갈색 등이 있다. 이와 같이 모발색의 차이에는 무엇이 관여하고 있을까? 그것은 모발이 두피내에서 성장하는 과정에서 색소세포 (멜라노사이트)가 만들어낸 멜라닌색소가 모발내에 흡수되는 것으로 결정된다.

요컨대 모모세포 자체가 만들어내는 모발은 원래는 색이 결정되지 않은 백발이다. 머리카락 색은 멜라노사이트의 양에 관계가 있는 것이다(**그림 1**).

백발이 생기는 것은 멜라노사이트의 작용이 어떤 원인으로 약해지거나 소실되어서 머리를 검게 하기 위

한 멜라닌색소를 만들 수 없기 때문에 색깔이 없는 그대로의 모발이 성장한 것이다.

백발은 모낭에 있는 색소 줄기세포*가 자외선 등의 영향을 받아 DNA가 손상된 것이 원인으로 발생한다. 색소 줄기세포는 DNA의 손상을 복구할 수 없다고 판단되면 자기복제기능이 소실되어 전부 멜라닌사이트로 분화해 버린다. 색소 줄기세포를 복제할 수 없기 때문에 그 수는 감소하고 또한 분화하는 멜라노사이트도 수가 감소한다. 멜라노사이트가 없어지면 멜라닌색소도 만들 수 없다. 따라서 흰머리가 증가하는 것이다(**그림 2**). 색소 줄기세포의 DNA 손상은 자외선같은 외적 요소만이 아니고 내적 요소인 스트레스나 영양 등도 관여되어 있다. 스트레스 해소나 생활습관, 식생활이 중요한 열쇠라 할 수 있겠다. 또, 노화에 의해서도 멜라노 사이트가 감소하고 백발이 된다.

*줄기세포란 모든 세포의 기준이 되는 세포인데 자기자신을 무한으로 복제하는 능력(자기복제)과 특수한 기능을 가진 세포로 분화하는 능력(다분화)을 갖고있는 세포이다.

그림 1 모모세포와 멜라노사이트

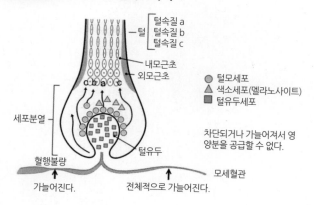

● 털모세포
▲ 색소세포(멜라노사이트)
■ 털유두세포

차단되거나 가늘어져서 영양분을 공급할 수 없다.

그림 2 백발과 멜라노사이트

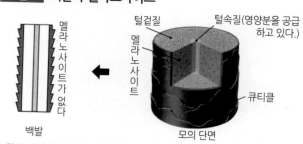

노화에 의해 모모세포에 영양이 가지 않게 되어 멜라노사이트가 감소한다. 따라서 멜라닌색소를 만들지 못해 백발이 된다.

용어 모모세포(keratinocyte cell), 내모근초(inner root sheath), 외모근초(outer root sheath), 털유두(모유두, hair papilla), 털겉질(모피질, hair cortex), 털속질(모수질, hair medulla)

Q5 흰머리를 뽑으면 더 나온다는데 정말인가?

A 흰머리가 증가한다는 의학적 근거는 없지만 같은 모공에 나있는 다른 모발에 타격을 주어 탈모나 가는 모발이 될 가능성은 있다.

흰머리가 되는 원인은 몇 가지 있다(백발이 되는 기전은 전항 참조).

모발색이나 곱슬머리처럼 흰머리도 부모로부터의 유전일 수도 있다. 다만 이것은 검증이 안 된 부분이 많은 것도 사실이다.

또, 나이(40세 전후)가 들어감에 따라 멜라닌색소의 생산에 필요한 치로시나제라는 효소의 작용이 쇠퇴하기 시작하고, 멜라닌색소가 감소하기 때문에 흰머리가 된다.

두피에도 원인이 있다. 두피도 피부의 일부인지라 얼굴이나 인체의 피부와 마찬가지로 기온이나 청결함, 보습력의 유무, 식생활 등의 생활환경이 두피의 건강상태를 크게 좌우한다. 생활환경이 나쁘면 두피에서 나오는 모질도 나빠지고 흰머리도 늘어갈 것이다. 또, 만성 위장질환이나 말라리아, 빈혈증, 갑상선질환 등의 병에 의해서도 흰머리가 생길 수도 있다.

「고생하면 흰머리가 늘어난다」고 자주 이야기 한다. 고생하면 결국 스트레스가 모세혈관을 수축하여 영양분이나 산소의 공급이 늦어지고 털모세포의 작용이 나빠진다. 그래서 멜라노사이트가 죽거나 색소생산이 감소하여 흰머리가 된다. 「머리를 쓰면 새치가 된다」. 이것도 머리를 쓰는 일이 스트레스라는 이유일 것이다. 스트레스는 흰머리만 늘리는 것이 아니고 탈모나 머리카락이 가늘어지는 원인이 되기도 한다.

이와 같은 이유에서 흰머리를 뽑았다고 해서 흰머리가 늘어난다는 의학적 증거는 없다.

다만 흰머리를 뽑는다는 것은 모발을 털뿌리에서 잡아 뽑는 것이 된다. 털뿌리부분은 한 개의 털구멍(모공)에 모발이 1~3개 나있다(그림 1). 가령 흰머리가 된 모발을 한 개만 뽑을 작정이라도 같은 털구멍내의 다른 털뿌리에 자극을 주게 된다. 또, 그 타격이 축적이 되면 털뿌리의 작용이 약해지고 가늘고 약한 머리카락 밖에 나오지 않아서 모발 전체의 색도 옅은 것처럼 보인다. 이것을 「흰머리가 늘었다」고 착각하는 사람이 많은 것은 아닐까.

흰머리를 뽑아도 증가하는 것은 아니지만 줄어드는 것도 아닌데, 다만 뜻하지 않게 다른 털뿌리에 상처를 주는 원인이 되니 역시 흰머리는 뽑지 않는 게 좋을 것이다.

그림 1 **털뿌리(모근)**

인체에 스트레스가 있으면 모세혈관이 수축하기 때문에 모모세포의 작용을 약화시키는 원인이 된다. 모세혈관의 수축은 털뿌리나 모발에 영양을 주는 것도 방해하기 때문에 이런 상태가 오래 지속되면 검고 윤이 나던 모발이 서서히 백발로 변하고 약한 모질로 변화해 간다.

memo

Q6 어떻게 모발이 자라는 것일까?
모발은 계속 자라면 어디까지 자랄 수 있는가?

A 털주기(헤어싸이클)가 있어서 끊임없이 새로운 모발로 교체한다.
기네스 기록은 있지만 대체로 70cm 정도가 한도일 것이다.

털(모발)에는 발모에서 탈모까지 털주기(헤어싸이클)가 있는데 크게 세 단계로 나뉘어져 있다**(그림 1)**.

① 성장기 : 남성이 3~5년, 여성이 4~6년
    털모세포가 분열을 개시하고 새로운 모발을 만들기 시작한다. 새로운 모발이 성장하기 시작하면 오래된 모발은 **빠진다**. 빗질 등으로 머리카락이 빠지는 것은 오래된 모발이다. 하루 평균 50~100개, 달로 치면 약 만오천~3만 개가 자연탈모 된다. 이 시기의 모발은 전체 두발의 80~90%이다.

② 퇴행기 : 2~3주간
    털진피유두의 작용이 저하되고 모발의 성장이 약화된다. 결국 털모세포와 털진피유두가 분리되면 모발은 전혀 성장하지 않게 된다. 전체 두발의 1 1%가 이 상태에 있다.

③ 휴지기 : 3~4개월
    모발의 성장이 완전히 멈추면 새로운 모발 생성이 시작된다. 모발의 생성이 진행되면 오래된 모발은 자연스럽게 탈모된다. 전체 두발의 10~20%가 이 상태에 있다.

모발의 성장 속도에는 개인차가 있고 또 연령이나 시기적인 차이도 있다. 대개 평균 1개월에 약 1cm정도의 스피드로 자라기 때문에 1년에 약 10~15cm 정도 자란다. 그러나 모발의 성장에는 어느 정도 한계가 있다. 또, 하루 시간 중에서도 잘 자라는 시간대가 있다.

하루 중에서 모발이 가장 많이 성장하는 시간이 오후 10시에서 오전 2시 정도이다. 이 시간에 모발이 성장하는 것은 부교감신경이 활발하기 때문이다. 부교감신경이 활발하므로 성장호르몬이 분비되고 발모가 촉진되어 머리카락이 자라는 것이다. 모발은 적은 사람이 약 7만 개, 많은 사람은 약15만 개 있다고 한다. 평균적인 모발의 개수는 약 10만 개라고 알려져 있다.

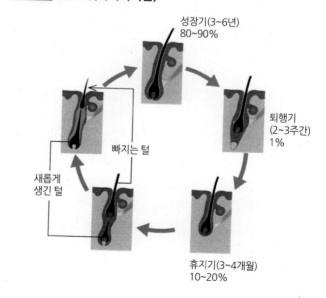

그림 1 털주기(헤어싸이클)

성장기(3~6년)
80~90%

퇴행기
(2~3주간)
1%

빠지는 털

새롭게
생긴 털

휴지기(3~4개월)
10~20%

memo

Q7 계절이 바뀔 때 머리카락이 잘 빠지는 것은 왜일까?

A 자외선에 의한 자연탈모와 모모세포라는 세포의 교체시기가 겹치는 계절이 봄과 가을이기 때문이다.

사람도 동물인지라 다른 동물과 마찬가지로 봄과 가을이 탈모의 계절이다. 동물의 경우는 체온조절을 위해 여름용 털이나 겨울용 털로 교체된다. 그럼 사람은 어떨까?

봄이 되면 따뜻해져서 인체가 나른해 지는데 여기에는 이유가 있다. 겨울에는 교감신경이 우위에서 작용하기 때문에, 체내 혈류는 손발 등 말초에 충분한 혈액을 보내지 않는 구조로 되어 있다. 그렇게 하므로써 체내의 열 발산을 막는 것이다. 봄이 되면 부교감신경이 우위에서 작용하므로 인체의 구석구석까지 혈류가 돌게 된다. 이에 따라 봄은 따뜻하게 느끼는 것이다.

또 교감신경과 부교감신경의 작용이 바뀔 때 인체는 그 변화에 대응할 수 없기 때문에 계절이 변화하는 시점에는 인체 상태가 쉽게 흐트러진다.

그럼 모발에는 어떤 영향을 주는 걸까? 부교감신경의 작용으로 혈류가 좋아지면 두피도 근질근질한 느낌을 가질 수 있다. 그래서 무의식중에 긁어서 두피에 상처를 줄 수가 있다. 기온이 갑자기 높아지기 때문에 두피에 땀이 나기 쉽다. 또, 봄은 바람이 강하고 먼지나 꽃가루 등의 오염물질이 두피에 달라붙어 지저분해진다. 그리고, 땀과 오염물질이 섞여 두피의 털구멍을 막아 버린다.

여러 가지 원인이 있지만 실은 가장 악영향을 주는 것은 자외선이다. 자외선량이 가장 많은 것은 여름이 아니고 봄이다. 머리카락이나 두피도 햇빛에 의해 손상을 입거나 퍼석거려서 두피가 쉽게 염증을 일으키게 된다(**그림 1**).

한편 가을은 털모세포라는 세포의 교체가 빈번하게

일어나는 시기이기 때문에 탈모가 증가한다. 연중 탈모가 가장 많이 증가하는 계절이 가을이 아닐까.

또 여름 동안에 받은 자외선의 타격이나, 더위로 인한 땀이나 피부기름으로 모공이 막혀 불결한 상태가 계속되거나, 온도와 습도가 변화하는 것 등도 가을에 탈모가 많은 원인으로 생각된다.

그림 1 머리피부와 털뿌리

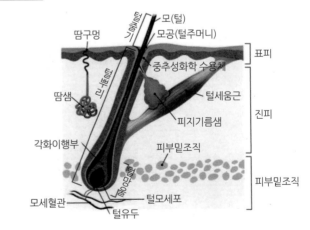

체모가 나는 장소에 의미가 있을까?

A 진화의 과정에서 남은 것이기 때문에 분명 의미가 있을 것이다.
인체의 보호라는 의미가 가장 큰 이유다.

동물은 체모가 온몸에 나있는 것에 반해 사람의 체모는 한정된 장소로 국한되어 있다. 동물의 체모에는 보온작용이나 보호작용이 있다. 그에 비해 사람의 경우는 「체모에 어떤 의미가 있을까」란 의문이 드는 게 당연하다.

예를 들면 모발은 직사광선에 의한 열로부터 보호하거나 물리적인 충격으로부터 두부를 지키는 등 완충재의 역할을 하고 있다. 눈썹은 이마에서 흘러내리는 땀이 눈에 들어가지 않게 하는 일시적인 역할이 있다. 사람의 경우 눈썹은 자주 일러스트에 사용될 만큼 특징적인 「안면의 감정표현」에 빠질 수 없는 요소가 되었다.

코털은 공기를 들이마실 때 먼지 등이 체내에 들어가지 않도록 제거하는 작용이 있다. 겨드랑이털이나 음모는 아포크린 땀샘에서 분비되는 성페로몬을 효과적으로 발산하기 위해 체모가 오그라들어 표면적을 늘리고 있다고 생각된다. 또, 겨드랑이털이나 음모는 각각 팔이 연결된 부분, 다리가 연결된 부분으로써 빈번하게 움직이는 팔다리 부분의 피부와 마찰을 적게하기 위해 나있다는 설도 있다.

그 밖에 피부에 나있는 체모는 사람에게 해가 되는 자외선 등으로부터 피부를 보호하기 위해 나있다고 한다. 그러나 옷을 인체에 두르고 피부를 노출하지 않는 사람에 있어서 체모는 이미 「쓸데없는 털」이 되었고, 여성의 경우 외형의 아름다움을 위해 제모를 권하기까지 한다.

그럼 왜 남성에게는 수염이 자라는 걸까?

수염이 자라는 것은 2차성징인데 남성호르몬에 의한 것이다. 솔직히 잘 모르겠지만, 사자도 수놈은 「갈기」가 있는 것으로 봐서 분명 남자와 여자를 구별하도록 수염이 자라는 것은 아닐까.

땀이 눈에 들어가지 않는다.

memo

Q9 체모는 깎으면 짙어진다는데 정말일까?

A 털은 깎으면 「짙어 진다」기 보다는
「짙어진 것처럼 보인다」가 맞는 말이다.
「털은 깎으면 짙어 진다」라는 의학적 근거는 없다.

체모의 성장은 체내 호르몬에 의해서 조절되고 있다. 타고난 체질, 소위 유전적인 요소가 크다고 할 수 있다.

그러면 왜 「털은 깎으면 짙어 진다」라고 하는 것일까? 하나는 제2차 성징기에 체모가 나고 털을 깎는 다는 것을 인식하는 시기가 같다는 점을 생각해볼 수 있다. 이 시기는 원래 아무것도 하지 않아도 체모가 점점 나오는 시기여서 그 시기에 털을 깎으면 짙어진다고 착각하게 되는 것이다. 성인이 되고 나서는 제모 후 짙어지거나 옅어지는 변화는 없을 것이다.

「털이 짙어 진다」라는 말은 「짙어진 것처럼 보인다」란 의미가 아닐까?

털이 짙게 보인다는 것은 털이 길다, 밀도가 짙다, 굵다 라는 세 개의 요소를 생각할 수 있다. 체모를 깎는 것에서 「길다」와 「밀도」라는 요소는 해결되었다. 「굵다」라는 요소는 깎은 후 다시 자라나는 털의 절단면이 굵기 때문에 오히려 털끝이 두꺼워져서 짙어진 것처럼 보인다. 그러니 털의 양이 변하지 않아도 짙어진 것처럼 느껴질 것이다. 실제는 「짙어 진다」라는 말보다 「짙어진 것처럼 보인다」라는 말이 맞다(**그림 1**).

다만, 정기적으로 자주 반복해서 깎는 경우는 그 털은 일정한 굵기로 유지되기 때문에 짙게 보이거나 하지 않을 것이다.

그림 1 두피와 털뿌리

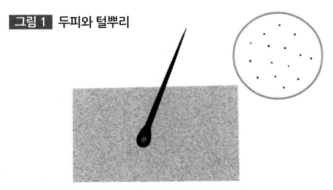

깎지 않으면 털끝이 가늘다

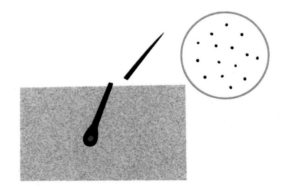

깎으면 털끝이 두꺼워 진다

memo

Q10 겨드랑이털이나 음모는 왜 성장할 때까지 나오지 않는 것일까? 왜 구불구불한 것일까?

A 성모는 제2차 성징기의 남성호르몬에 의한 것이다.
성모는 단면이 타원형으로 굵은 곳과 가는 곳이 있어서
일률적이지는 않다. 따라서 「꼬임」이 생겨 「구불구불」해 진다.

겨드랑이털이나 음모 등으로 대표되는 체모는 남성호르몬의 영향을 크게 받는다.

사춘기가 되면 인체는 제2차 성징기가 되고, 부신겉질호르몬인 안드로겐이라는 남성호르몬 분비가 많아져 발모가 시작된다. 여성도 부신에서 남성호르몬이 분비되기 때문에 겨드랑이털이나 음모가 발모한다. 발모가 시작되는 연령은 개인차가 있지만, 남성은 12세경, 여성은 11세경으로 알려져 있다.

정식으로는 이 체모를 성모나 음모로 부르는데, 성모는 겨드랑이털과 음모 양쪽을 가리킨다. 성모의 특징은 구불거려 길게 자라지 않는다는 것이다.

왜 성모가 자라는 걸까? 왜 구불거리는 걸까? 그 이유로는 여러 가지 설이 있다. 음모인 경우라면 ①성기의 장소를 알린다, ②성기를 보호한다, ③성교시 피부의 마찰이나 충돌을 경감시킨다, ④아포크린 땀샘에서 나오는 페로몬을 간직하기 위해서 등이 있다.

겨드랑이털인 경우는 팔을 움직이는 일이 많아서 그 부분과 피부의 마찰을 경감시키기 위해라든가, 음모와 마찬가지로 아포크린 땀샘이 있는 겨드랑이는 페로몬 냄새를 간직하기 위해 또 쉽게 스며들게 하기 위해서 등이 있다.

성모를 옆으로 자른 단면은 타원형을 하고 있다. 또 성모의 굵기는 굵은 곳과 가는 곳이 있어서 일률적이지는 않다(**그림 1**). 그 때문에 꼬임이 생긴다. 이 꼬임이 구불구불하게 나타나는 것이다. 단면이 타원형이 되는 이유는 신장속도와 관계되어 있을 지도 모른다. 성모는 1개월에 6~7mm 자라는데, 두발에 비하면 꽤 늦는다.

그림 1 털도 질적으로 단면이 다르다

구불구불한 털의 단면은 누에콩형
(흑인에게 많다.)

물결모양으로 컬을 한 털의 단면은 계란형
(백인에게 많다.)

직모의 단변은 원형을 하고 있다.
(황색인종에게 많다.)

털도 질에 따라 단면이 다르다.

memo

Q11 피부의 기능에는 무엇이 있을까?

A 피부의 기능에는 경계선 기능, 체온조절, 건조방지, 지각작용, 면역작용이 있다.

피부 작용의 하나로 생체방어기능이 있다. 피부는 인체의 안과 밖의 경계이다. 외부에서 침입하려는 물이나 화학물질, 세균 등으로부터 신체기능을 지키고 보호하는 역할이 있다. 또, 인체 안에 있는 것이 밖으로 빠져 나가지 못하게 하는 역할도 하고 있다. 인체 안의 세포는 약 80%가 물을 함유하고 있다. 외층이 피부로 덮여있지 않으면 수분이 점점 증발해서 내부의 세포기능에 장해를 준다. 이와 같이 피부는 각질층과 표피라는「경계」로 인체를 감싸고, 외부의 자극을 방어함과 동시에 체내의 환경을 지키는 작용을 한다**(그림 1)**.

바깥 기온이 높을 때나 심한 운동을 한 후에는 인체이 열을 내어 땀을 흘린다. 땀이 증발할 때 기화열을 빼앗아 피부의 표면을 차게 식혀서 체온을 내리려고 한다. 또, 피부에 있는 많은 혈관이 두터워져서 혈류를 늘리고 열을 발산시킨다. 운동을 하면 얼굴이 빨갛게 되는 것을 자주 볼 수 있는데 이것은 피부의 혈관이 확장되어 있기 때문이다.

피부는 덥다, 춥다, 아프다, 가렵다 등의 감촉이나 만지는 느낌의 촉각이나 압각을 민감하게 받아들여 그 정보를 뇌로 전달한다. 햇볕에 탔을 때 아프다고 느끼는 것은 자유 신경 말단이 표피까지 뻗어있기 때문이다.

피부는 외부와 접해있기 때문에 병원균, 바이러스나 알레르기물질 등에 항상 노출되어 있다. 따라서 이들의 공격으로부터 인체을 보호하기 위해 피부는 면역체계를 작동시키고 있다. 피부에는 랑게르한스 세포라고 불리는 면역을 담당하는 세포가 표피의 중앙 부위에 분포해 있다. 이 세포는 자외선에 약해서 면역기능 저하의 원인이 된다.

그림 1 피부의 구조

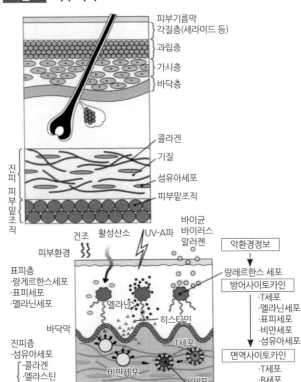

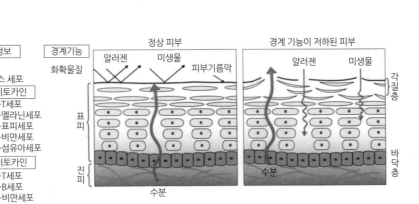

http://ailand.info/vj/ 의 그림을 참고로 작성.

 용어 각질층(horny layer), 과립층(granular layer), 가시층(유극층, spinous layer), 바닥층(기저층, basal layer), 기질(substrate), 섬유아세포(fibroblast), 비만세포(mast cell)

Q12 목욕탕에 장시간 들어가 있으면
손가락이나 발가락이 쭈글쭈글해지는 것은 왜 그럴까?

A 오랫동안 물에 담그면 피부 표면의 각질층에 있는 세포가
수분을 흡수해 팽창한다.
흡수하는 세포가 들쑥날쑥하기 때문에 쭈글쭈글해진다.

목욕탕에 오랜 시간 들어가 있으면 피부가 수분을 흡수해 팽창한다. 그것은 뜨거운 물만이 아니고 풀장에서도 장시간 물에 들어가 있으면 생긴다. 물은 저장액(염분이 없다)이므로 손가락 표면의 세포가 물을 흡수한다. 물을 흡수한 세포는 팽창한다. 이때 물을 흡수해서 팽창해 있는 것은 피부 표면의 세포뿐이다. 그 내측에 있는 세포는 팽창하지 않고 그대로다. 그리고 물에서 나오면 한쪽은 팽창하고 한쪽은 팽창하지 않기 때문에 주름이 생긴다.

이것은 인체 전체의 피부에서 일어나는데 왜 손끝만 쭈글거리는 것일까? 수분을 흡수하는 피부 표면의 세포는 「각질층」이라고 한다. 손가락이나 발가락 끝은 얼굴이나 팔 등의 다른 부분에 비해 각질층이 두껍다. 그 만큼 많은 수분을 흡수해서 팽창하는 부분이 커진다. 또, 인체의 다른 부분은 팽창해도 전체가 커질 수 있지만, 손끝만은 뒷면에 신축하지 않는 딱딱한 손톱이 있기 때문에 손톱이 없는 부드러운 쪽만이 팽창한다. 그래서 나머지 피부가 쭈글쭈글하게 쳐진 것이다. 물에서 올라와 시간이 경과하면 흡수한 수분이 증발해서 원래대로 된다(그림 1).

이 현상을 법의학 전문어로 「표모피화」라고 한다. 표모라는 것은 「빨래하는 나이 든 여자」라는 의미인데 세탁을 오래하면 손끝이 붓는다고 해서 붙여진 말이다.

그림 1 손끝에서 본 손가락

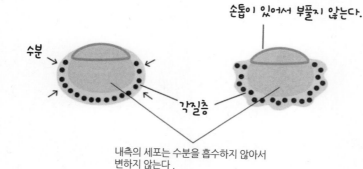

손톱

수분

손톱이 있어서 부풀지 않는다.

각질층

내측의 세포는 수분을 흡수하지 않아서
변하지 않는다.

바다는 염분이 있어서 괜찮다.
풀장은 장시간 들어가면 붓는다.

memo

Q13 소름이 돋는 것은 왜인가? 소름이란 원래 무엇인가?

A 소름은 교감신경에 의한 반사이다.
추위 이외에도 일상에서는 있을 수 없는 강한 기쁨이나 감동,
공포를 느꼈을 때도 소름이 돋는다.

소름이란 추울 때 털구멍이 수축하면서 닭살같이 되는 것을 말한다. 추울 때 이외에도 무서울 때나 「오싹!」하고 기분 나쁜 것을 느꼈을 때, 굉장히 흥분했을 때에도 소름이 돋을 때가 있다. 원래 소름은 모공을 닫기 위해서가 아니고 체모를 세워 털과 털 사이에 공기를 모으기 위해 일어나는 생리현상이다. 그렇지만 체모가 짧고 퇴화되어 듬성듬성한 인간에게 그 효과는 거의 없다. 원숭이 같은 동물인 경우는 털이 서있는 쪽이 누워있는 쪽보다 보온효과가 높다.

추위에 반응해서 소름이 돋는 것은 의미가 있다. 그것은 모공을 수축시켜 피부로부터 열이 발산되는 것을 조금이라도 막기 위해서이다. 모공이 막히는 것으로 발한을 억제함과 동시에 체표 가까이에 있는 모세혈관이 수축하므로 혈류를 감소시키고, 또 체온을 뺏기지 않도록 방어한다. 또, 체모가 서면 그 근원인 털세움근이 수축함에 따라 열을 발생시킨다(**그림 1**).

털세움근은 반사에 따라 수축하기 때문에 자신이 의식하지 않아도 제멋대로 소름이 돋는다. 반대로 닭살을 만들려고 해도 만들어지지 않는다. 이것은 털세움근이 교감신경에 의해 지배받고 있기 때문이다.

그럼 추위 이외의 소름이 돋는 계기가 되는 기제는 어떤 것일까.

뇌가 추위를 감지하면 그 신호가 체온조절중추를 거쳐 교감신경으로 전달되어 활성화되고 털세움근을 수축시킨다. 교감신경은 흥분이나 긴장에 관계되는 신경이어서 뇌에 강한 스트레스가 오거나 뇌가 흥분상태가 되었을 때도 똑같이 활성화된다. 그 결과 추위를 느낀 건 아니지만 교감신경은 강한 자극이 있으면 소름이 돋는 방어반응을 일으킨다.

그래서 기쁨이나 감동, 충격적인 사실을 알았을 때, 소름이 돋는 것이다.

그림 1 털세움근

평소의 상태

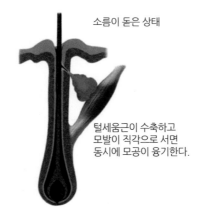

소름이 돋은 상태

털세움근이 수축하고 모발이 직각으로 서면 동시에 모공이 융기한다.

memo

Q14 왜 손바닥에는 주름(손금)이 있는 걸까?

A 손바닥의 피부밑에 있는 근육이나 힘줄, 막, 혈관 등의 조직에 좌우된다. 손바닥 넓힘줄은 손바닥의 주름을 잡는 건막(넓힘줄)이다.

손바닥의 선에는 깊은 부분과 얕은 부분이 있다. 이것은 근육이나 힘줄, 막, 혈관 등 피부밑에 있는 조직에 영향을 받아 그 위에 있는 피부에 주름이 생긴 것이다.

예를 들면 주먹을 쥐거나 붙잡는 등 힘이 들어가는 일을 자꾸 하면 뿌리부분의 근육이 발달되며, 다른 부분은「주름」이 생긴다. 그래서 손금에서 말하는 생명선이나 두뇌선이 선명하게 생긴다.

피부밑의 근육이나 힘줄조직이 주름의 원인 중 하나라는데 여기에서 한 번 자신의 인체로 실험해 보자. 먼저 손가락을 활짝 펴고 그대로 엄지손가락과 새끼손가락 끝을 붙인 뒤 손목을 보아라. 근육이 튀어 나와 보이지 않는가? 그대로 손목을 세우고 안쪽(새끼손가락 쪽)으로 가볍게 구부려 보면 훨씬 알기 쉬울 것이다. 손목에 튀어나온 근육은「긴손바닥근의 힘줄」이다 **(그림 1-1, 2)**. 좌우 모두 나오지 않은 사람, 한 쪽만 나오지 않는 사람도 있다. 다른 사람에게도 실험해 보길 바란다. 이 긴손바닥근의 힘줄이 없는 사람은 3~6% 정도이다. 이 근육은 다른 손목을 구부리는 근육과 작용이 중복되기 때문에 없어도 문제는 없다.

덧붙여서「해부학적으로 긴손바닥근의 주된 작용은?」이라고 말하면「손바닥 넓힘줄(손바닥의 주름을 잡는 건막)을 긴장시켜서 손목을 구부린다」라고 대답할 수 있다.

없어도 상관없는 긴손바닥근도 유용할 때가 있다. 그것은 스포츠에서 상처나 사고로 인대단열이 되었을 때 이식에 사용된다.

그림 1-1 긴손바닥근의 힘줄

손가락을 활짝 펴고 그 대로 엄지손가락과 새끼손가락 끝을 붙이고 손목을 세우면 손목에 힘줄이 나온다. 안쪽(새끼손가락 쪽)으로 가볍게 구부린다.

손목에 튀어나온 힘줄(긴손바닥근의 힘줄)이 없는 사람은 3~6%나 된다 (황색 인종인 경우). 백인에게서는 10~20%라는 결과가 있다(특히 여성의 경우에 많다).

그림 1-2 긴손바닥근의 힘줄

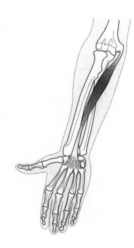

용어 손바닥 넓힘줄 (palmar aponeurosis), 긴손바닥근(장장근, palmaris longus muscle)

Q15 「손거스러미(hangnail)」는 왜 생기는 걸까?

A 세제나 메니큐어 등의 외적요인에 의한 손가락 끝의 탈지나 건조, 비타민 등의 영양부족 등 내적요인을 생각할 수 있다.

춥고 건조해 지면 손가락 끝에 「손거스러미」가 생길 때가 있다. 손거스러미는 손톱 주변의 피부(표피)가 꺼슬하게 벗겨진 상태이다.

긁히거나 상처가 난 것은 아닌데 어느새 피부가 젖혀져서 신경이 쓰여 잡아 떼어내려는 사람도 있을 것이다. 그때 짧게 표면만 떼어내면 좋은데 피부 깊숙이 벗겨져 상처가 나고 출혈이 일어날 때가 있어서 주의가 필요하다. 게다가 그 상처가 나으면 또 그게 신경 쓰여서 벗겨 버리는 악순환을 반복하고 있지 않은지?

손거스러미는 손톱 주변이 염증을 일으켜서 피부가 꺼슬하게 일어나는 현상이다. 예를 들면 주부가 부엌에서 세제를 사용하면 손가락 끝의 탈지나 건조가 일어나고 염증이 쉽게 일어나는 상태가 된다. 어린이가 모래장난이나 흙장난을 하면 그것이 자극이 되어 손거스러미의 원인이 될 수도 있다. 젊은 여성에게서는 메니큐어 리무버를 사용하면 그것에 포함된 「아세톤」에 의해 수분이나 유분이 없어진다. 이 아세톤은 탈지력이 강해서 손톱을 약화시키거나 유분을 없애는 작용이 있다.

이와 같은 외부로부터의 자극에 더해 영양의 편중이나 부족에 의해 피부의 윤택이나 유분이 소실된 것도 손거스러미의 원인 중 하나이다. 손에 자극을 주는 일을 하는 사람이나, 건조한 피부를 지닌 사람은 손거스러미가 자주 생긴다. 비타민 A, B₂나 비타민 D, 피부의 보습을 위해 콜라겐을 섭취하도록 신경을 쓰자(**그림 1**). 손거스러미를 발견하고 떼어내선 안 된다. 떼어내면 상처가 커지고 세균이 들어가 화농하게 될 우려가 있다. 신경 쓰이지 않도록 가위나 손톱깎이를 사용

해 자르는 게 좋다. 그리고 주부 습진용 핸드크림을 바르거나 반창고를 둘러서 보습을 주는 게 좋다. 세제를 너무 사용하지 않도록 주의 하고 고무장갑을 끼는 것도 예방이 될 것이다.

그림 1 손거스러미 예방을 위해

비타민 A, B₂, D가 부족한 건 아닐까?

memo

Q16 「동상」에 걸리면 통증이 느껴지는 것은 왜일까?

A 동상은 인체의 말초에 있는 모세혈관이 많은 손가락, 발가락, 귀 등에서 일어나는 혈행 장해에 따른 염증이다.
가벼우면 「가려운」 것으로 끝나지만 악화되면 「아픈」 증상이 생긴다.

동상은 추위 때문에 혈행이 나빠져서 생기는 염증을 말한다. 손, 손·발가락, 발에 걸리기 쉽고 피부가 노출되어 있는 뺨이나 코끝도 동상에 걸릴 가능성이 있다.

먼저 손이나 발의 피부가 빨갛게 되면서 붓고, 다음에 만지면 아프거나 가려운 감각이 된다. 또 온도에 반응하여 욕탕에 들어간 후에 아프고 뜨겁고 가려운 느낌이 들면 동상이다.

동상은 가벼우면 「가려운」 것으로 끝나지만 악화되면 「아픈」 증상이 생긴다. 동맥에서 온 혈관이 말초에서 모세혈관으로 연결되며, 혈관에서 혈액성분이 배어나와 조직액이 된다. 그리고 조직액은 정맥으로 흡수되어 심장으로 돌아온다.

추운 장소에서는 동맥과 정맥의 굵기는 양쪽 모두 가늘어 진다. 겨울부터 초봄까지 기온이 내려가는 실외에서는 혈액이 천천히 흘러간다. 그리고 갑자기 추운 곳에서 따뜻한 곳으로 들어가면, 기온차가 크기 때문에 동맥이 먼저 급격하게 굵어진다. 이때 정맥도 굵어지려고 하지만 동맥에 비해 원래의 굵기대로 돌아가는 속도가 늦기 때문에 「시간차」가 생긴다. 이 시간차 때문에 혈액순환이 정체되고 혈행장해가 생겨 염증을 일으키는데 이것이 「동상」의 원인이 된다(**그림 1**).

말하자면 혈액 흐름의 정체가 원인이 되어 「동상」이 된다. 이 현상은 가는 혈관에서 일어나기 때문에 인체의 말단에 있는 모세혈관이 많은 손·발가락 끝, 귀 등에 나타난다.

그림 1 **모세혈관 내에서 체액의 이동**

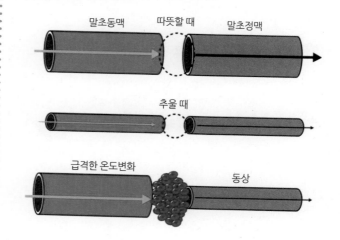

memo

Q17 「점」이란 무엇인가? 왜 생기는 걸까? 생기기 쉬운 곳이 있는가?

A 점은 멜라닌 색소의 과잉으로 생기는 양성종양으로 생기기 쉬운 곳은 자외선이 닿는 곳이다.

사람의 피부에는 멜라닌 색소(검은색의 색소)를 만드는 색소세포(멜라노사이트)가 있다. 그 세포가 평소보다 과잉으로 작용을 하면 멜라닌 색소를 많이 만들어 「점」이 된다. 또, 멜라노사이트도 증식해서 주위보다 높은 밀도로 모여 점이 될 수도 있다.

평평하고 두께가 없는 점은 색소만 증식한 것이고 세포 자신이 증가하면 그 부분만 부풀어 오른 사마귀 같은 점이 된다(**그림 1**). 놀랍게도 점은 종양이다. 종양이란 일반적인 범위를 넘어 과잉 증식한 것을 말하는데, 특별히 나쁘지 않으면 양성종양이다. 따라서 점은 양성종양이다.

원래 멜라닌 색소는 자외선으로부터 사람의 세포가 상처 입는 것을 막기 위한 것이다. 자외선이 닿으면 세포가 활성화되고 자외선을 흡수하기 때문에 멜라닌색소를 만들어 낸다. 이것이 햇볕에 탄 모습이다. 멜라닌세포가 필요이상으로 작용하거나 멜라닌세포 자신이 상처가 나 오작동을 일으키면 세포자체나 색소가 과잉 증식한다. 점이 생기기 쉬운 장소를 들자면 자외선이 닿는 장소이다. 역시 가장 많은 곳은 얼굴이 아닐까. 이어서 목이나 겨드랑이 밑, 팔, 손, 어깨, 몸전체의 순서이다.

자외선 외에 외부의 자극에 의해 멜라닌세포가 상처를 입을 수도 있다. 속옷이나 구두의 마찰, 일 등으로 인체의 똑같은 부분이 빈번하게 스치거나 압박을 받아 열이나 무게가 영향을 미쳐도 점은 생긴다.

그림 1 점의 종류와 생기는 장소

점의 종류

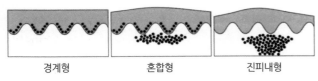

경계형　　　　혼합형　　　　진피내형

점이 생기는 장소

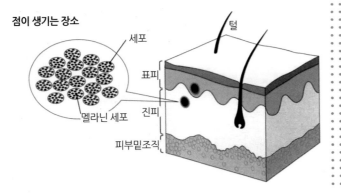

memo

Q18 왜 「여드름」이 생기는 걸까?

A 성호르몬의 분비가 균형이 깨지고
아크네균에 의한 염증이 여드름을 만든다.

여드름이란 피부가 작고 빨갛게 붓고 통증을 수반하는 염증을 말한다. 여드름이 빨갛게 부은 상태에서 더 악화된 적이 있을 것이다. 그것은 「여드름 균(propionibacterium acnes)」이 염증을 일으키기 때문이다. 그러면 왜 여드름이 생기는 걸까?

호르몬 분비는 피부를 정상적으로 유지하는 면에서 중요한 역할을 담당하고 있다. 그 균형이 깨지면 여드름이 생긴다. 그 대표적인 것이 사춘기에 생기는 여드름이다.

사춘기는 2차 성징기로 성호르몬의 균형이 갑자기 변화하는 시기이다. 남성호르몬이 활발해져 피부의 신진대사에 크게 영향을 미친다. 그리고 오래된 각질이 정상적으로 떨어져 나가지 못하고, 모공에 남기 때문에 여드름이 된다.

여성에서는 생리 전에 여드름이 생긴다. 배란 후에는 황체호르몬이 많이 분비된다. 그에 따라 생리 전에 몸의 상태가 흐트러지고 피부의 신진대사가 정상적으로 이루어지지 않아 여드름이 생긴다.

그 밖에 호르몬 균형의 붕괴라고 하면 스트레스를 꼽을 수 있다. 수면부족이나 식생활 등의 불균형으로 여드름이 생긴 경험은 없었는가? 수면부족이나 식생활의 불균형은 남성호르몬을 많이 분비하는 원인이 되고, 피부의 신진대사가 정상적으로 이뤄지지 않는다.

피곤하면 왜 분비물이 생기는 걸까?

10대에는 여드름, 20세를 넘기면 「분비물」이라는 말이 있는데 기본적으로 어느 쪽이나 털구멍에 피부기름이나 각질 등이 쌓여 피부기름을 좋아하는 아크네 균이 증식함에 따라 염증이 일어나는 것이다. 분비물은 얼굴만이 아니고 등이나 엉덩이 등 전신의 여러 장소에 생긴다. 또 아기에서 어른까지 나이를 묻지 않고 생긴다. 분비물이 생기는 원인으로써는 호르몬균형의 붕괴나 비타민 부족, 수면부족, 스트레스 등을 들 수 있다. 분비물을 예방하기 위해서는 피부를 청결하게 유지하고 균형있는 식사를 하고, 스트레스를 해소하며, 수면을 충분히 취하도록 규칙적인 생활을 하는 것이 가장 좋다.

memo

Q19 「여드름」은 어떻게 생기는 걸까?

A 모공에 피부기름이 쌓이고 아크네 균이 번식해서 염증을 일으킨다.
그러면 생체방어반응에 따라 백혈구가 아크네 균과 싸워 고름이 된다.

털구멍의 출구는 아주 좁은데 그 구멍의 각질이 두터워지면 모공의 출구를 막아버린다. 털구멍이 막히면 출구가 없어진 피부기름이 쌓이게 된다(코메드). 코메드는 오픈코메드, 클로즈코메드 두 개로 분류할 수 있다.

오픈코메드는 검은 점으로 된 것이 특징인데 「검은 여드름」이라고 불린다. 클로즈코메드라는 것은 염증이 쉽게 악화되는 것이 특징이다. 만지면 딱딱한 감촉이 있는 클로즈코메드는 더욱 악화된 상태의 클로즈코메드가 된다.

진행되면 코메드에 아크네균이 증식해서 염증이 일어난다. 이때 여드름이 빨갛게 되어서 「붉은 여드름」이라고 불린다. 이렇게 되면 염증을 억제하려고 백혈구의 일부가 아크네 균을 공격하기 시작한다. 그 백혈구와 아크네 균에 의해서 고름이 생긴다. 이 상태를 「염증성 여드름」이라고 부른다. 중심부가 고름으로 하얗게 보이고 아직 부드러운 상태이다. 백혈구의 일부와 아크네 균의 공격으로 모공벽이 파괴되면 모공 부근의 통증을 동반한 염증으로 진행된다(그림 1).

통증을 동반한 여드름은 열을 띠고 만지면 딱딱한 감촉이 된다. 이 상태를 「경결여드름」이라 한다. 딱딱해진 여드름에는 심이 있다. 그 후 염증이 가라앉으면 흔적이 남는데, 여드름의 흔적은 증상의 악화 여부에 따라 다르다. 화농된 상태까지 악화되면 흔적이 남는다.

그림 1 여드름이 생기는 경로

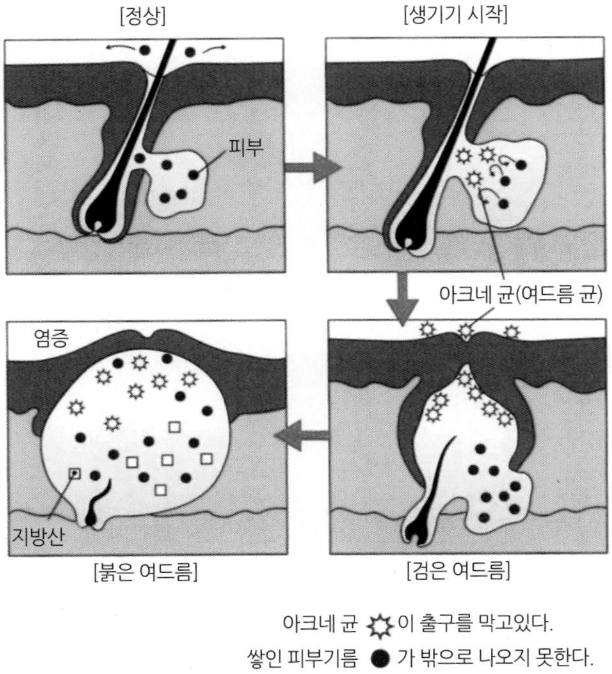

[정상] [생기기 시작]

피부

아크네 균(여드름 균)

염증 [붉은 여드름] [검은 여드름]

지방산

아크네 균 ✿ 이 출구를 막고있다.
쌓인 피부기름 ● 가 밖으로 나오지 못한다.

memo

Q20 사마귀란 무엇인가?
왜 생기는 걸까?

A 피부 바닥층 세포가 인유두종바이러스(HPV)에 감염된다.
바이러스감염세포가 세포분열을 활발하게 하고, 증식해서
덩어리가 생긴 것이 사마귀의 정체이다.

피부는 표면 쪽부터 표피, 진피, 피부밑조직이라 불리는 세 개의 층으로 되어 있다. 표피는 각질형성세포가 몇 층이나 겹쳐 있는데 그 중 제일 바깥에 있는 것이 각질층이다. 깊어질수록 과립층, 가시층, 바닥층으로 겹쳐져 있다. 피부는 이처럼 몇 층으로 되어 있어서 면역작용과 함께 외부의 유해자극이나 바이러스, 세균 감염 등으로부터 인체을 보호하고 있다.

보통 사마귀라는 것은 인유두종바이러스(HPV)가 피부에 감염되어 생기는 것으로 바이러스성 사마귀라고 불린다. 그 밖에 물사마귀(전염성연속종), 중년사마귀(스킨테그), 노인사마귀(노인성우췌) 등이 있는데 피부병의 하나이다.

원인이 되는 HPV에는 많은 종류가 있고 지금까지 150종류 이상의 모양이 발견되었다. 이 모양의 차이에 따라 감염되기 쉬운 곳이나 사마귀의 종류(외형)가 다르다는 것도 알 수 있다. 그뿐이 아니라 어떤 종류의 모양이 자궁암이나 피부암 등의 원인인지 알려지면서 상당히 주목받고 있다.

HPV는 건강한 피부에는 감염되지 않지만 작은 상처를 통해 피부에 들어가서 바닥층에 있는 세포를 감염시켜 사마귀를 만든다. 감염된 바닥세포는 세포분열을 활발하게 하고 주변의 정상세포를 밀쳐내고 자란다. 이 바이러스 감염 세포가 증식해서 생긴 혹이 사마귀의 정체이다(**그림 1**).

외상을 입는 일이 흔한 손이나 발 등은 상처가 생기기 쉬워서 그 작은 상처를 통해 인유두종바이러스가 피부나 점막으로 들어가 사마귀가 생기는 것이다.

그림 1 사마귀가 생기는 과정

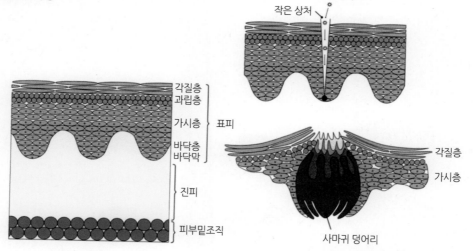

사단법인 일본피부과학회 홈페이지
(http://www.dermatol.or.jp/. 2011.3.1. 액세스)의 그림을 참고로 작성.

memo

Q21 펜대를 쥐는 손이나 발꿈치 등에 생긴 굳은 살이란 무엇인가? 고칠 수 있을까?

A 굳은 살은 자주 사용하는 피부의 각질층이 두꺼워 지는 피부병이다. 압박인자를 제거하는 것이 예방과 치료로 연결된다.

「굳은 살」은 전문용어로는 「못(변지)」라고 하는데 「티눈」처럼 어떤 피부의 일부가 만성 자극을 받아 각질층이 두꺼워지는 피부병이다. 티눈과 달리 자극을 받은 주변 전체의 피부가 두껍고 딱딱해져 약간의 황색을 띠고 불거져 나온다.

티눈은 보통 발바닥에 생기지만, 굳은 살은 발바닥 이외에도 그 사람의 생활습관이나 직업, 버릇 등에 따라 인체의 여러 장소에 생긴다. 자주 사용하는 장소에 생기기 쉽다. 굳은 살은 티눈과 달리 아프지 않고, 오히려 두꺼워진 각질 때문에 감각이 둔해진 경우가 많다(그림 1).

티눈이나 굳은 살은 불편한 신발, 장시간의 보행, 발의 변형, 걷는 방법의 이상 등에 의한 특정 피부의 만성 자극이 원인이 되어 생기기 때문에 이와 같은 압박인자를 제거하는 것이 예방과 치료로 연결된다. 또 노화에 따른 지방조직이 감소해서 얇은 곳에 뼈나 관절이 있기 때문에 각질층이 자극을 받기 쉽다. 예방과 치료에는 각질연화제나 보습제를 사용하거나 패드를 끼우는 등 가능한 한 국소의 자극을 적게 하면 된다. 병원에 가면 딱딱해진 각질을 연고 등으로 부드럽게 해서 가위나 수술용 칼 등을 사용해 제거한다.

굳은 살, 티눈, 사마귀의 차이

	표면	통증	생기는 장소
굳은 살	매끈하다	눌러도 통증이 없다	발바닥, 손바닥, 손가락
티눈	매끈하다	누르면 아프다	발바닥
사마귀	까칠까칠하다	눌러도 그다지 아프지 않다	발바닥, 손, 그밖에 여러 장소

그림 1 티눈과 굳은 살

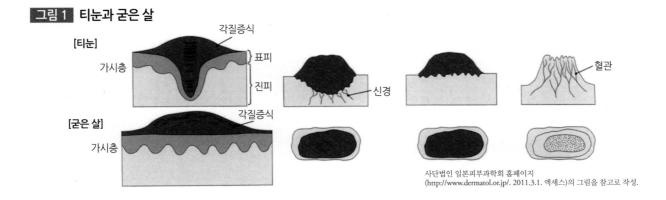

사단법인 일본피부과학회 홈페이지
(http://www.dermatol.or.jp/. 2011.3.1. 액세스)의 그림을 참고로 작성.

memo

Q22 기미의 원인은 무엇인가?

A 기미의 원인은 자외선이다.
자외선에 의해 피부세포의 유전자가 상처를 입고
오랫동안 축적되었다가 노화와 함께 나타난다.

피부의 바닥층에 있는 멜라닌세포는 자외선으로부터 피부를 지키기 위해 멜라닌색소를 다량 만들어 피부의 표면으로 밀어낸다. 이것이「햇볕에 탄」것으로 피부색이 검어진다. 십대 때는 신진대사가 활발해서 표피세포가 때가 되어 떨어질 때 멜라닌 색소도 함께 배출된다. 그러나 20대 후반부터 신진대사의 작용이 저하하기 시작하면 멜라닌 색소가 배출되지 않고 피부에 침착되어 기미가 된다.

자외선은 파장의 길이에 따라 세 개로 나뉜다. 장파장자외선(UV-A), 중파장자외선(UV-B), 단파장자외선(UV-C)이다. UV-A가 진피에 닿으면 콜라겐, 엘라스틴을 파괴해서 피부의 긴장감이 소실되고 주름이나 쳐지는 현상의 원인이 된다. UV-B는 바닥층에서 멜라닌색소를 늘리고 햇볕에 타는 데 따른 염증을 일으키거나 기미, 주근깨의 원인이 된다. UV-C는 가장 위험한 자외선으로 피부암의 원인도 된다.

피부노화의 대부분이 자외선에 의한 것이다. 피부세포가 자외선을 받으면 활성산소가 발생하고 세포내에 있는 유전자에 상처를 받는다. 그러면 피부의 탄력을 만드는 콜라겐섬유나 엘라스틴섬유의 생산이 적어지고 주름이나 쳐짐 등 노화로 이어진다. 멜라닌세포나 케라틴세포 유전자의 상처는 몇 년이 지난 후 기미가 되어 나타날 수 있다. 젊을 때는 살결을 태워도 기미가 되지 않고 예쁜 피부로 회복되기 때문에 신경 쓰지 않지만 유전자의 상처는 착실하게 축적되어 간다 **(그림 1)**. 기미는 생기기까지 잠복기간이 꽤 길어서 젊을 때 무모하게 피부를 태우는 사람은 주의해야 한다.

기미가 생기는 것은 유전적 요인도 있다. 기미 소인을 가진 사람이 강하게 피부를 태운 후에 기미의 출현을 막을 방법은 없다.

여성인 경우 노화에 의해 에스트로겐이 감소하고 피부세포의 기능을 유지하던 것이 무너져 콜라겐도 감소한다. 당김이 약해진 피부에 자외선은 박차를 가한다.

그림 1 멜라닌과 기미

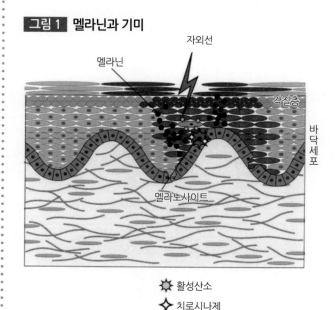

☀ 활성산소
◆ 치로시나제

memo

Q23 자외선이 피부에 주는 영향에는 어떤 것이 있을까?

A 자외선은 화학전달물질이나 사이토카인을 만들어 피부에 염증을 일으킨다. 또, 활성 산소를 만들어 그것이 유전자에 상처를 주고 피부의 노화로도 이어진다.

자외선의 자극을 받은 표피세포는 화학전달물질이나 사이토카인(cytokine)을 만든다. 이들은 자기 자신의 세포나 주변 세포에 작용하여 점차 새로운 염증반응을 불러일으킨다. 또, 자외선은 피부 속의 광증감물질을 불안정한 상태로 만들고, 그것이 주변의 산소에 작용하여 독성 강한 분자의 활성산소를 만든다. 그 중에서도 하이드록실 라디칼(hydroxyl Radical)이라는 것이 가장 강하게 세포를 손상시킨다.

세포가 손상을 받으면 새로운 물질을 만들고 또 염증이 퍼져 나간다. 활성산소에는 피부를 만드는 섬유성분인 콜라겐이나 엘라스틴의 구조를 변화시키거나, 그들을 분해하는 산소를 활성화시켜 노화를 진행시키는 작용이 있다. 멜라노사이트나 케라티노사이트의 유전자에 상처를 주는 작용도 있어서 몇 년이 지난 후 기미가 되어 나타날 수 있다. 또, 지질을 산화시켜 세포막의 기능을 잃게 하기도 한다(**그림 1**).

선텐을 한 후 피부가 시뻘겋게 된 경험이 있을 것이다. 그것은 피부에 있는 가느다란 혈관이 확장되고, 혈류량이 많아진 상태로 홍반이라고 한다. 자외선 중에서도 UV-A는 피부를 태우는 힘이 매우 강하고 그에 따라 염증을 일으키는 물질이 생산되어 조직에 작용하는데, 혈관을 확장시키거나 통증신경을 과민하게 만든다. 이와 같은 상태에서는 조그만 자극에도 강하게 반응하게 된다. 이들 물질이 서로 영향을 끼쳐 평소라면 느끼지 못할 정도의 열이나 아픔에도 민감해지기 때문에 욕탕에 들어갈 때에 강한 통증을 느끼게 된다.

강하게 홍반을 일으킨 피부는 통증을 강하게 느끼며, 다음날이 되면 탄 부분이 부을 수도 있다. 확장된 혈관으로부터 혈장이 피부조직 내로 흘러 나와서 염증이 확대된 결과이다.

그림 1 자외선이 피부에 주는 영향

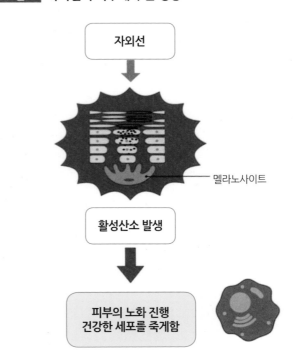

memo

Q24 왜 속눈썹은 일정한 길이까지만 자라는 걸까?

A 속눈썹은 어느 정도까지만 자라면 성장을 멈춘다.
속눈썹에도 수명이 있어서 자라난 후 약 2개월 만에 빠져 버린다.

속눈썹은 눈꺼풀(안검) 끝에 나있는 체모로 첩모라고 한다. 다른 체모에 비해 굵고 길이가 일정한 것이 특징인데 위아래 눈꺼풀에 3~4열의 폭을 가지고 나있고 위눈꺼풀 쪽이 아래눈꺼풀보다 길다. 속눈썹은 먼지가 안구의 각막이나 결막에 닿는 것을 방지한다(**그림 1**). 속눈썹의 털뿌리 주위에는 감각신경이 많이 모여 있어서 먼지가 닿으면 각막이나 결막에 닿기 전에 감지하여 자연스럽게 눈꺼풀을 닫는다. 또, 속눈썹 주변의 눈꺼풀 조직은 인체 안에서 가장 얇은 피부밑조직이기 때문에 아주 빨리 움직이게 되어 있다(**그림 2**).

다만, 피부가 얇기 때문에 울거나 벌레에 쏘이거나 뭔가에 맞거나 얼굴을 숙이고 자면 금방 붓는다. 맥립종(다래끼)은 눈꺼풀의 마이봄선이나 속눈썹 뿌리의 속눈썹샘 등의 지선염증에 의해 일어난다. 마이봄선에 생기는 것을 내맥립종, 속눈썹샘에 생기는 것을 외맥립종이라고 구별한다. 주로 황색포도구균의 감염이 원인이 되어 눈꺼풀 안쪽 등이 붓고 통증을 동반한다.

일본인의 속눈썹의 길이는 약 10mm, 속눈썹의 개수는 한쪽 눈의 윗눈썹은 100~150개, 아랫눈썹은 50~75개다. 당연히 개인차가 있다. 속눈썹이 길면 먼지 등의 침입을 잘 막을 수 있으며, 모래먼지가 많은 사막에 있는 낙타는 매우 긴 속눈썹을 갖고 있다. 또, 하루에 0.1~0.18mm 성장한다.

속눈썹의 털모세포가 활발해지는 것은 오후 10시~오전 2시의 성장호르몬 분비가 가장 왕성한 시간이다. 속눈썹은 어느 정도 자라면 성장이 멈춘다. 속눈썹에도 수명이 있으며, 나고 나서 약 2개월 만에 빠진다. 그리고 속눈썹이 빠진 곳에서 또 속눈썹이 생긴다. 머리털이 빠지면 다시 나는 것과 같은 원리다.

이와 같이 속눈썹은 일정한 길이가 되면 빠져서 자를 필요가 없다. 게다가 속눈썹은 다른 털에 비해 약하기 때문에 최대의 길이까지 자라지 않고 잘리거나 빠지는 일이 많다.

그림 1 속눈썹의 역할

그림 2 눈과 그 주변

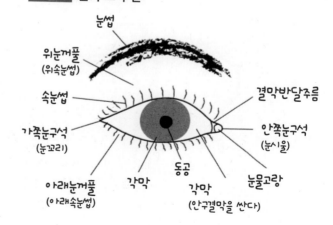

눈썹
위눈꺼풀(위속눈썹)
속눈썹
결막반달주름
가쪽눈구석(눈꼬리)
안쪽눈구석(눈시울)
아래눈꺼풀(아래속눈썹)
각막
동공
각막
눈물고랑
각막(안구결막을 싼다)

 위눈꺼풀(상안검, upper eyelid), 속눈썹(첩모, eyelashes), 결막반달주름(결막반월주름, semilunar fold of conjunctiva), 안쪽눈구석(내안각, medial angle of eye), 가쪽눈구석(외안각, lateral canthus), 아래눈꺼풀(하안검, lower eyelid), 각막(cornea), 눈물고랑(누구, lacrimal sulcus)

Q25 부끄러우면 얼굴이 빨개지는 것은 왜일까?

A 긴장이나 부끄러움을 느끼면 교감신경이 흥분하고
뇌는 뇌 온도의 상승을 예측해서 안면의 모세혈관을 확장시킨다.
그래서 뇌로 향하는 혈액을 식혀서 뇌를 냉각시킨다.

안면홍조증이란 긴장이나 부끄러움 등의 심리적 스트레스가 갑자기 왔을 때 얼굴에 있는 모세혈관이 확장되어 흐르는 혈액량이 증가하기 때문에 얼굴이 빨갛게 보이는 것이다.

안면홍조증이 일어나는 기제는 아직 과학적으로 설명할 수 없다. 자율신경은 교감신경과 부교감신경으로 나뉘어져 균형을 유지하면서 인체의 갖가지 기능을 조절하고 있다. 사람이 긴장이나 부끄러움을 느낄 때 이 자율신경의 균형이 무너져 교감신경이 우위에 있게 된

다고 생각할 수 있다. 교감신경이 우위에 있을 때 안면의 모세혈관은 수축하고 혈류량이 줄어들기 때문에 「창백한 얼굴」로 보일 것이라는 과학적 상식과 반대이다.

그럼 부끄러움을 느낄 때 사람은 왜 얼굴이 붉어지는 것일까. 하나의 설로 「뇌 온도의 상승」이 붉은 얼굴과 깊은 관련이 있다는 것이 밝혀졌다. 보통 37℃ 전후인 뇌 온도는 어떤 원인으로 42℃까지 상승하면 뇌의 신경세포가 사멸하기 시작한다. 그래서 인체에는 뇌 온도의 상승을 막기 위한 「냉각기구」가 준비되어 있는데 그 하나가 안면홍조증이라고 한다. 안면홍조증은 안면의 가장 외부와 가까운 곳에 있는 모세혈관이 확장되는 현상이기 때문에 이때 혈액 열을 외부에 의해 빼앗기므로 그 온도가 내려간다. 그리고, 이 안면의 모세혈관은 뇌에 혈액을 운반하는 동맥을 둘러싸는 「해면정맥굴」으로 연결된다. 이 안면에서 식힌 혈액이 운반되면 해면정맥굴의 온도가 내려간다. 그 영향으로 동맥에 흐르는 혈액이 차가워지는 결과가 되고 뇌에 차가워진 혈액이 흐르게 된다. 안면홍조증은 이런 일련의 뇌의 냉각시스템의 흐름 속에서 일어나는 것이라고 생각할 수 있다.

덧붙여서 「얼굴이, 빨개졌네 !」라고 하면 더 얼굴이 빨개지는 것은 왜일까. 이것도 자율신경에 의해서 조절되기 때문에 자신의 의지로는 어쩔 수 없다. 또, 「좋아하는 사람 앞에서는 얼굴이 빨개진다」 라는 것도 자율신경에 의해 긴장, 흥분상태가 되었기 때문이다.

그림 1 두부정맥계의 측부순환의 반모식도

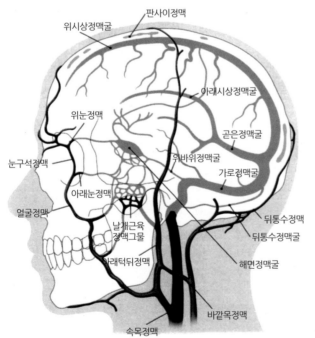

판사이정맥
위시상정맥굴
아래시상정맥굴
위눈정맥
곧은정맥굴
눈구석정맥
위바위정맥굴
가로정맥굴
아래눈정맥
얼굴정맥
날개근육
정맥그물
뒤통수정맥
아래턱뒤정맥
뒤통수정맥굴
해면정맥굴
바깥목정맥
속목정맥

 용어 판사이정맥(판간정맥, diploic vein), 상시상정맥동(위시상정맥굴, superior sagittal sinus), 아래시상정맥굴(하시상정맥동, inferior sagittal sinus), 위눈정맥(상안정맥, superior ophthalmic vein), 아래눈정맥(하안정맥, inferior ophthalmic vein), 곧은정맥굴(직정맥동, straight sinus), 눈구석정맥(안각정맥, angular vein), 위바위정맥굴(상추체정맥동, superior petrosal sinus), 가로정맥굴(횡정맥동, transverse sinus), 얼굴정맥(안면정맥, facial vein), 날개근육(익돌근, pterygoid muscle), 뒤통수정맥(후두정맥, occipital vein), 정맥그물(정맥총, venous plexus), 뒤통수정맥굴(후두정맥동, occipital sinus), 아래턱뒤정맥(하악후정맥, retromandibular vein), 해면정맥굴(해면정맥동, carvenous sinus), 바깥목정맥(외경정맥, external jugular vein), 속목정맥(내경정맥, internal jugular vein)

PART 6

감각기

Q1 왜 텔레비전은 어두운 곳에서 보면 안될까? 영화관은 어두운데······.

A 사람의 눈은 강한 빛을 계속 볼 수 없게 만들어 진데다 빛의 점멸에 의해 광감수성 발작을 일으킬 수도 있기 때문이다.

사람의 눈은 직접 빛을 발하는 것을 보게끔 발달해 온 게 아니고 반사광을 받는 데 적합하다. 요컨대 너무 밝은 것을 오랜 시간 계속 보면 강한 빛을 많이 받아들여서 눈이 빨리 피로해지고 눈의 여러 가지 작용에 나쁜 영향을 끼친다.

영화관에서 보는 화면은 스크린에 비친 상이기 때문에 그것 자체가 광원인 것은 아니다. 또, 그것은 극단적으로 밝은 것은 아니고 명암도 강하지 않아서 눈에 대한 부담은 그만큼 크지 않고 피곤도 적다고 말할 수 있다. 이것에 비해 텔레비전은 직접광원으로서 빛을 발하고 있다. 어두운 방에서 텔레비전을 보면 홍채가 열리고 많은 빛이 눈에 들어와서 좋지 않다(그림 1).

예를 들면 텔레비전은 어두운 방에서 손전등을 직접 응시하는 것과 같고, 영화는 하얀 벽에 손전등의 빛을 비추고 그것을 보는 것과 똑같다.

또 하나 중요한 포인트가 있다. 그것은 눈으로 들어오는 광자극에 대한 감수성이다.

보통 사람은 광자극을 참기 위한 「내성」을 갖고 있어서 어느 정도는 빛을 봐도 괜찮다. 그러나 개 중에는 감수성이 강한 사람이 있어서 어떤 종류의 빛(빛의 점멸)을 보면 뇌가 흥분하고 발작을 일으켜 쓰러질 수도 있다. 이것을 「광감수성발작」이라고 한다. 이전에 어떤 텔레비전의 만화프로를 보고 전국에서 700명 이상의 사람이 발작을 일으켜 구급차에 실려 가는 사태가 일어났다. 이것은 텔레비전이 원인인데 「광감수성발작」이 일어난 전형적인 예라고 할 수 있다.

이와 같이 눈에 대한 악영향이나 광감수성발작을 일으키지 않기 위해서라도 텔레비전을 볼 때는 떨어져서 방을 밝게 하고 보자. 그렇게 하면 시야 안에 텔레비전 이외의 빛도 들어오기 때문에 비교적 안전하다고 할 수 있다. 벽의 반사광도 눈에 들어와 동공이 수축하기 때문에 눈 속에서도 색을 느끼는 부분에 들어오는 빛의 양이 비교적 적어져서 악영향을 줄일 수 있다(그림 2).

그림 1 빛이 닿으면 동공이 축소한다

간접적인 빛 / 밤

낮 / 텔레비전 / 회중전등

그림 2 동공의 구조

홍채의 둘레근이 수축하면 동공은 축소한다(부교감신경)

동공

홍채의 확대근이 수축하면 동공은 산대한다(교감신경)

강한 빛   보통의 빛   약한 빛

전방에서

 용어 확대근(산대근, dilator muscle), 둘레근(윤상근, orbicular muscle)

Q2 게임을 너무 많이 하거나 텔레비전을 너무 많이 보면 눈이 나빠진다고 하는데 사실인가?

A 텔레비전이나 게임 등 가까이서 오랜 시간 보는 것에 의해 눈에 피로가 쌓이고 눈이 나빠지는 계기가 된다.

근시나 원시는 망막상에서 초점을 바르게 연결하지 못하는 빛의 굴절이상에 의해 일어난다. 근시는 수정체(렌즈)를 잡아당기는 섬모체근이 작용하지 않아 렌즈가 두꺼워 지고 초점이 망막보다 전방에 맞춰지는 상태이다. 그 때문에 가까운 것은 잘 보이지만 먼 것은 흐릿하게 보인다. 한편 원시는 수정체의 굴절력이 약하거나 안구의 직경이 짧을 경우에 일어나는데 망막의 후방에 초점이 맞는다. 그래서 가까운 것에는 초점이 맞지 않아 흐릿하고 먼 것을 볼 때도 섬모체근을 잔뜩 수축시키지 않으면 안 되어서 눈이 피로해 진다(**그림 1**).

최근에 게임이나 컴퓨터를 너무 많이 해서 근시가 된 아동이 증가하고 있다. 예전의 아이들은 산이나 숲에서 벌레를 잡거나 바다나 강에서 물고기를 잡는 놀이로 눈에 대한 트레이닝도 자연스럽게 되어 인체만이 아니고 눈의 능력도 함께 높여 갔다. 산이나 바다에서 먼 곳을 보거나 혹은 가까이 있는 세세한 것을 관찰하므로 섬모체근을 훈련시키고 시력을 조절하는 능력을 키웠던 것이다. 그러나 요즘의 아이들 놀이라고 하면 게임, 텔레비전, 컴퓨터 등이 주류를 이룬다. 이들을 할 때에는 섬모체근의 긴장이 계속되어서 가까운 곳이나 먼 곳을 볼 수 있는 균등한 시력을 갖고자 하는 눈의 발육에 방해를 받는다. 이 같은 생활습관이 시력 저하의 가장 큰 원인이다.

게임 등으로 가까운 거리에 있는 것을 계속 보면 섬모체근이 강하게 긴장된 채 마비되고(딱딱해 짐) 그대로 멀리 있는 것을 보려고 해도 수정체가 두꺼워진 채로 원래대로 돌아가지 않아 초점을 상에 잘 맺을 수 없다.

텔레비전 게임을 해서 눈이 나빠지는 것이 아니고 가까이에 있는 것을 오랜 시간 계속해서 지켜봄으로써 눈에 부담이 되고 그것이 피로가 되어 근시가 되는 계기를 만들고 있는 것이다. 이것을 막기 위해서는 게임 화면 등을 연속해서 몇 시간이나 보지 말고 적당한 시간 마다 눈을 떼고 피곤하면 눈을 쉬게 하는 것, 게임 화면과 눈과의 거리를 일정거리 이상으로 유지(25cm 이상)하는 것 등이 효과가 있다.

그림 1 **수정체의 초점의 조절(섬모체근의 작용)**

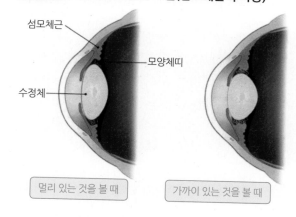

섬모체근
모양체띠
수정체

| 멀리 있는 것을 볼 때 | 가까이 있는 것을 볼 때 |

초점이 맞으면…

용어 수정체(crystalline lens), 섬모체근(모양체근, ciliary muscle), 모양체띠(모양체소대, ciliary zonule)

Q3 눈동자를 한 곳으로 모으는 것은 가능한데 반대로 하는 건 왜 안 되는 걸까?

A 눈에는 좌우의 눈으로 본 것을 하나로 해서 보는 작용이 있기 때문에 좌우의 눈을 가까이 모으는 것은 가능해도 떨어뜨려서 서로 다른 별개의 것을 보는 것은 불가능하다.

안구는 안구 주변의 근육을 사용해서 상하좌우 여러 방향으로 움직일 수 있다. 이들 근을 바깥 눈근육이라고 하는데 위곧은근, 아래곧은근, 안쪽곧은근, 가쪽곧은근, 위빗근, 아래빗근의 6종류가 있다(**그림 1**). 마치 꼭두각시 인형의 실에 해당되는 게 바깥 눈근육이다. 그들 근에는 명령을 내보내는 신경이 각각 다르게 연결되어 있다.

가쪽곧은근은 외전신경, 위빗근은 활차신경, 그 밖에 네 개의 바깥 눈근육은 동안신경이 지배하고 있다. 또, 각각의 근이 부착되어 있는 부분이 달라서 눈을 여러 방향으로 움직일 수 있다. 위곧은근은 상방향으로, 아래곧은근은 하방향으로, 안쪽곧은근은 안쪽으로, 가쪽곧은근은 바깥쪽으로, 위빗근은 외하방향으로, 아래빗근은 외상방향으로 각각 안구를 움직인다(**그림 2, 3**). 안쪽의 사선상하방향으로 안구를 향하는 근은 없지만 그 방향의 시야는 반대쪽 안구가 맡고 있다.

양 눈은 보통 좌우 따로 움직이는 것이 아니고 시선이 좌우 같은 목표를 향하도록 자동적으로 양 눈의 움직임을 맞춘다. 이것을 안구의 조절운동이라고 한다. 멀리 있는 것을 볼 때는 양 눈의 시선은 평행하게 다가가고(눈벌림) 가까이 있는 것을 볼 때는 안쪽을 향해 초점을 맞춰(눈모음) 양 눈에 비치는 상을 하나로 하게끔 되어 있다. 이 좌우의 눈으로 본 것을 하나로 보는 능력을 「융상(binocular fusion)」이라고 하는데 무언가를 주시하면 눈은 자동적으로 융상한다. 그렇게 하지 않으면 대상이 두 개로 보이기 때문이다. 따라서 좌우의 안구를 우안을 오른쪽으로 좌안을 왼쪽으로 동시에 향하는 것은 불가능하다.

근의 균형이 무너져 조절운동이 잘 되지 않고 시선이 좌우로 빗나가는 질환을 사시라고 한다. 이 경우는 멀리 있는 것을 볼 때나 가까이 있는 것을 볼 때 모두 한쪽 눈의 시선은 대상을 향하고 있지만, 다른 쪽 눈의 시선은 비스듬하게 벗어나 있다. 내측으로 벗어난 눈을 내사시, 바깥쪽으로 벗어난 눈을 외사시라고 한다. 이와 같이 병적으로 눈동자 모으기가 안 되는 경우도 있다.

그림 1 안구와 바깥 눈근육 (횡) **그림 2** 좌안의 근육의 움직임 (정면)

그림 3 양 눈의 움직임과 근

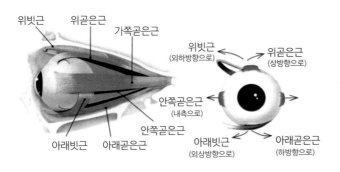

위빗근 위곧은근 가쪽곧은근

위빗근 (외하방향으로) 위곧은근 (상방향으로)

안쪽곧은근 (내측으로)

안쪽곧은근

아래빗근 아래곧은근

아래빗근 (외상방향으로) 아래곧은근 (하방향으로)

양 눈의 위곧은근

양 눈의 안쪽곧은근과 아래곧은근

우안의 안쪽곧은근과 아래빗근 좌안의 가쪽곧은근과 위곧은근

양 눈의 아래곧은근과 위빗근

양 눈의 안쪽곧은근

우안의 안쪽곧은근과 위빗근 좌안의 가쪽곧은근과 아래곧은근

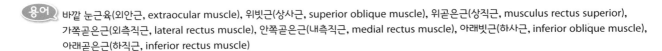

용어 바깥 눈근육(외안근, extraocular muscle), 위빗근(상사근, superior oblique muscle), 위곧은근(상직근, musculus rectus superior), 가쪽곧은근(외측직근, lateral rectus muscle), 안쪽곧은근(내측직근, medial rectus muscle), 아래빗근(하사근, inferior oblique muscle), 아래곧은근(하직근, inferior rectus muscle)

Q4 햇빛을 쏘인 후 눈이 보이지 않게 되는 것은 왜 그럴까?

A 강한 빛에 의해 망막 내의 화학 물질이 대량으로 소비되고
그것이 원래대로 돌아갈 때까지 일시적으로 눈이 보이지 않는다.

안구로 본 영상은 망막에 비추고 시세포가 반응해서 정보를 뇌로 전달한다. 망막에는 빛을 느끼는 시세포가 2종류 있다. 하나는 막대세포 또 하나는 원뿔세포이다. 막대세포는 끝에 가는 봉모양의 돌기(막대세포)를 가지고 있는데 여기에서 빛을 수용한다. 빛에 대해 반응하는 감광색소인 로돕신을 갖고 있어서 빛의 강약, 즉 명암을 식별한다. 원뿔세포는 굵은 뿔모양의 돌기(원뿔세포)를 갖고 있는데 망막의 중심와에 그 대부분이 존재한다. 이 세포는 색을 감수하는데 특히 밝은 곳에서 색을 식별하고 대상을 확실히 보는 작용을 하고 있다. 이 2종류의 세포는 역할분담이 확실하다. 밝을 때는 원뿔세포가 어두울 때는 막대세포가 주로 일을 한다.

막대세포의 로돕신은 빛이 닿으면 옵신과 레티날로 분해되고 레치날은 다시 분해되어 최종적으로는 전기자극이 되고 뇌로 전달되어 대상이 보이게 되는 것이다. 로돕신은 약한 빛일 때에 그 기능을 최대한으로 발휘할 수 있다. 아주 작은 빛이라도 로돕신에 닿으면 분해반응이 일어나고 어두운 방에서도 대상을 볼 수 있다. 반대로 태양 빛 같은 강한 빛이 로돕신에 닿으면 점점 반응이 일어나 대부분 분해되어 버린다. 그리고 한 번 반응한 로돕신은 재합성하는 데 시간이 걸려서 재합성될 때까지는 대상이 보이지 않게 된다. 밝은 방에서 어두운 방으로 가면 대상이 보이지 않게 되는 것은 이 때문이다. 그러나 조금 있으면 회복되고 어두운 장소에서도 대상이 보이게 된다.

이 현상을 암순응이라고 하는데 30분 정도의 시간이 걸린다(**그림 1**). 반대로 어두운 장소에서 밝은 장소로 갔을 때 밝은 데에 익숙해져 대상이 보이게 되는 현상을 명순응이라고 한다. 명순응은 1분 정도 밖에 걸리지 않는다. 이를테면 막대세포의 회복시간을 빨리 하는 것이 안토시아닌이라는 물질로 블루베리에 함유되어 있다. 그래서 블루베리가 눈에 좋다고 하는 것이다.

그림 1 암순응곡선

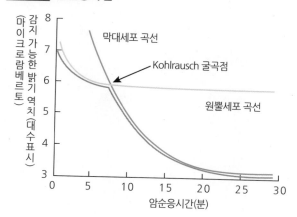

암순응은 처음 약 8분간에 급속한 순응(제1상)과 그 후 30분 정도에 걸친 느린 순응(제2상)으로 나뉘어진다. 이 암순응곡선의 굴곡점을 Kohlrausch 굴곡점이라고 부른다. 제1상의 급속한 암순응은 원뿔세포에서 요돕신 합성에 의한 것인데(엷은 핑크선) 그 후에 제2상의 느린 암순응은 막대세포에서 로돕신의 합성에 의한 것이다(진한 핑크선). 실제로는 회색의 곡선을 따라 시간의 경과와 함께 막대세포에서 로돕신이 많이 합성되어 약한 빛에서도 감지할 수 있도록 망막의 광감도가 좋아진다.

용어 막대세포(rods cell), 원뿔세포(corn cell), 요돕신(iodopsin), 로돕신(rhodopsin)

Q5 「야맹증」이란 무엇인가?

A 어두운 장소(야간)에서 시야나 시력이 극단적으로 저하되는 병이다. 후천적인 것은 비타민 A의 부족으로 일어난다.

야맹증은 밝은 장소(주간)에 비해 어두운 장소(야간)에서의 시야나 시력이 극단적으로 저하되는 병이다. 정상적으로 망막의 세포가 작용을 하면 밝은 곳에서 어두운 곳으로 이동했을 때 처음에는 대상이 보이지 않아도 서서히 눈이 익숙해져 대상을 볼 수 있다(암순응). 그러나 야맹증의 경우 이 망막에 이상이 생겨 어두운 곳에서는 시야의 협착이나 시력의 저하를 일으킨다.

야맹증은 후천적인 것인데 비타민 A의 부족이 원인으로 망막에서 시력에 필요한 감광색소(로돕신)를 만들지 못한다. 그럼, 로돕신은 시력에 어떻게 관여되어 있는 걸까.

로돕신은 명암을 느끼는 망막의 막대세포 속에 있는데 명암의 수용에 관여되어 있다(**그림 1**). 로돕신은 빛에 반응해서 레티날과 옵신으로 분해됨에 따라 광자극을 뇌로 전달한다. 이 로돕신을 만들기 위한 재료로 비타민 A가 필요하다. 그래서 비타민 A가 결핍되면 로돕신이 생산되지 않고 명암을 느끼는 반응이 잘 이뤄지지 않아서 야맹증이 된다.

그러므로 야맹증은 비타민 A를 섭취함으로써 회복될 수 있다. 성게나 톳은 비타민 A가 풍부하게 함유되어 있어서 섭취하면 야맹증의 예방과 치료에 가장 적당하다. 또, 비파나 당근 등에는 β-카로틴이 풍부하게 함유되어 있다. β-카로틴은 체내에 들어가면 필요량만 비타민 A로 변환되고 나머지는 체내에 축적된다. 그래서 비타민 A를 섭취하는 것과 같은 작용이 있다.

한편 선천적인 야맹증에는 밝은 장소에서도 시력이 저하되는 망막색소변성증이나 백점상망막증 등이 있다. 또, 어두운 장소에서는 시력의 저하를 일으키지만 밝은 장소에서는 시력에 문제가 없는 안저백점증도 있다.

그림 1 원뿔세포와 막대세포

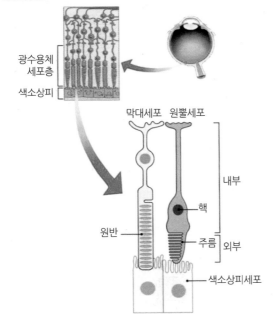

광수용체
세포층

색소상피

막대세포　원뿔세포

내부

핵

원반

주름　외부

색소상피세포

"새의 눈"이란....

일본에서 야맹증은 새의 눈이라고 합니다만, 모든 새가 어두운 곳에서 보이지 않는 것은 아닙니다. 닭처럼 어두운 곳에서 보이지 않는 새도 있지만, 올빼미, 해오라기 같은 야행성인 새는 어둠 속에서도 잘 볼 수 있습니다.

용어 원뿔세포(추상체세포, cone cell), 막대세포(간상체세포, Rod cell), 색소상피세포(pigment epithelial cell)

Q6 고도가 높은 곳에 가면 귀가 윙하고 울리는 것은 왜 그럴까? 침을 삼키면 낫는 것은 왜인가?

A 대기압과 가운데귀 내의 기압차로 고막이 팽팽해지기 때문이다. 침을 삼킴으로써 가운데귀로 향하는 입구가 열리고 기압차가 없어져서 원래대로 돌아가는 것이다.

귀를 상후방향으로 잡아당겨 보자. 안에 고막이 보이지 않는가? 고막은 길이 1cm 두께 0.1mm 정도의 피부가 변화해서 생긴 얇은 막이다. 귓구멍 입구에서 고막까지를 바깥귀, 고막을 끼고 그 안을 가운데귀라고 한다. 또 그 안에는 청각이나 평형감각을 감지하는 달팽이, 반고리관, 안뜰 등이 들어있는 속귀가 있다. 요컨대 가운데귀는 바깥귀와 속귀 사이에 낀 방으로 고실과 귀관(귀인두관)으로 구성되어 있다(**그림 1**).

고실은 전방에서 귀관(길이 약 2.5cm)에 의해 인두로 연결되어 있고 그 입구를 귀관인두구멍라고 한다. 귀관인두구멍은 평상시에는 눌러 찌그러뜨린 것처럼 닫혀 있지만 음식을 삼킬 때는 열린다. 귀관은 고실내의 기압이 외기압과 똑같이 되도록 압력 조절을 하고 있다(**그림 2**). 인두가 부어 귀관의 입구를 압박하여 막거나 귀관 자신이 막히거나 하면 인두와 가운데귀의 공기 통행이 불가능하게 되고 고실과 외부 사이에 압차가 생겨 그것이 귀의 통증으로 되거나 잘 들리지 않게 된다.

감기를 앓아 귀가 멍해지거나 소리를 알아듣기 어려웠던 적은 없는가? 귀관의 입구가 막혔기 때문이다. 비행기가 이륙할 때나 고층빌딩의 고속엘리베이터를 타면 급격하게 고도가 높아져 고막보다 외부기압이 낮아진다. 그러면 고막은 기압이 낮은 바깥귀 쪽으로 끌려가게 된다. 이 끌려가는 움직임에 의해 「귀가 윙하고 울린다」고 느끼는 것이다(**그림 3**). 해결하기 위해서는 입을 크게 벌린다거나 침을 삼킨다. 이 동작에 따라 귀관을 열게 하면 외부 공기가 고실에 들어와서 고막 내외의 기압이 같아지고 윙하던 감각이 원래대로 돌아간다.

중이염은 병원균이 귀관을 통해 가운데귀로 들어와서 그 안에서 염증을 일으킨 질환이다. 바깥귀로 침입하는 병원균은 고막에 의해 차단되기 때문에 가운데귀로 들어오는 것은 불가능하다. 그러나 가운데귀는 귀관에 의해 인두와 코 안으로 연결되어 있기 때문에 감기 등으로 코나 목에 염증을 일으키면 그곳에 있는 세균이나 바이러스가 침입한다. 특히 어린이의 귀관은 어른의 귀관에 비해 굵고 짧은 데다 수평에 가깝기 때문에 병원균이 들어오기 쉽다. 아이가 급성중이염을 자주 일으키는 것은 이 때문이다.

그림 1 귀의 구조

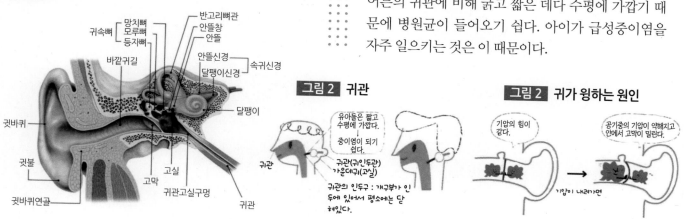

반고리뼈관
망치뼈
모루뼈
등자뼈
귀속뼈
안뜰창
안뜰
안뜰신경
달팽이신경
속귀신경
바깥귀길
달팽이
귓바퀴
고실
귓불
고막
귀관고실구멍
귓바퀴연골
귀관

그림 2 귀관

유아들은 짧고 수평에 가깝다. → 중이염이 되기 쉽다.
귀관
귀관(귀인두관)
가운데귀(고실)
귀관의 인두구 : 개구부가 인두에 있어서 평소에는 닫혀있다.

그림 2 귀가 윙하는 원인

기압의 힘이 같다.
공기중의 기압이 약해지고 안에서 고막이 밀린다.
기압이 내려가면

용어 반고리뼈관(골반규관, osseous semicircular canal), 안뜰창(전정창, fenestra vestibularis = oval window), 귀속뼈(이소골, auditory ossicles), 망치뼈(추골, hammer bone = malleus), 모루뼈(침골, Incus), 등자뼈(등골, stapes), 안뜰(전정, vestibule), 안뜰신경(전정신경, vestibular nerve), 바깥귀길(외이도, external acoustic meatus), 속귀신경(내이신경, nervus octavus), 달팽이신경(와우신경, cochlear nerve), 귓바퀴(이개, auricle), 귓불(이수, lobule of auricle), 고실(tympanic cavity), 고막(tympanic membrane), 귀관고실구멍(이관고실구, tympanic orifice of auditory tube), 귓바퀴연골(이개연골, cartilage of auricle), 귀관(귀인두관, auditory tube)

Q7 귀울림은 어디에서 들려오는 것인가?

A 속귀나 신경 등의 청각계의 이상 외에 과로나 스트레스가 청각을 자극하여 일어난다.

귀울림이란 주위의 소리와 관계없이 머릿속에서 소리가 들린다고 자각하는 것이다. 그것이 어떤 것이든 실제로는 없는 소리를 귀로 또는 머릿속에서 소리로써 느끼는 것이 있다면 그것은 귀울림이다.

귀울림의 문제점은 「머리(귀) 속에서 울리고 있다」라는 점에 있다. 그래서 이 소리로부터 도망칠 수 없다고 느껴 불면증이나 우울상태, 스트레스를 일으킬 수 있다.

귀울림의 종류는 크게 나누어 자각적 이명과 타각적 이명 2종류가 있다. 자각적 이명은 본인밖에 들을 수 없는 이명이다. 속귀나 신경 등의 청각계의 이상 외에

과로나 스트레스에 의해서도 일어난다. 중이염 등의 귀 병이나 속귀신경의 병이 원인이 되는 경우도 있다.

자각적 이명 중 방음실 등의 조용한 장소에 있을 때, 이른 아침이나 밤중에 소리가 들리는것은 생리적인 이명이고 특별히 문제는 없다.

타각적 이명은 타인에게도 들리는 이명을 말한다. 이명이 들린다는 사람의 귀에 청진기를 대보면 그 사람이 느끼고 있는 소리와 같은 소리가 들린다. 혈류·혈관의 이상이나 귀 주변의 근육 또는 귀속뼈 위의 근육이 경련함에 따라 일어난다.

표 1 자각적 이명과 타각적 이명

자각적 이명	본인에게만 들린다	병적인 이명	속귀, 가운데귀, 신경 등의 청각계의 이상 과로나 스트레스
		생리적 이명	조용한 장소에서 나는 소리
타각적 이명	타인에게도 들린다	혈류·혈관의 이상 귀 주변의 근육이나 귀속뼈 위에 있는 근육이 경련	

memo

Q8 피겨스케이트 선수가 회전한 후에 어지러워 하지 않는 것은 왜일까?

A 연습으로 평형감각을 익혀서 회전에 익숙하기 때문이다.

인체의 균형을 유지하는 데 가장 중요한 것은 평형감각이다. 이 평형감각의 정보를 캐치하는 것은 속귀에 있는 안뜰과 반고리관이다.

안뜰에는 이석이라는 수준기(평형을 재는 기구) 같은 것이 있는데 둥근주머니평형반, 타원주머니평형반이라는 막성 주머니에 각각 수직 및 수평으로 다른 각도로 위치해 있다(그림 1). 이 조합으로 머리가 전후·좌우로 얼마만큼 기울여져 있는가를 감지한다. 반고리관은 정면방향, 좌우방향, 상하방향이 서로 직각으로 교차하는 세 개의 반원 모양의 관으로 되어 있는데 안에는 림프액이 고여 있다. 인체를 돌며 림프액이 중간에 있는 유모세포의 털을 휘날리게 해서 인체의 회전방향을 감지한다(그림 2). 귀는 소리를 듣는 것만이 아니고 균형을 유지하는 평형감각으로도 중요한 역할을 담당하고 있다.

게다가 눈에서 오는 시각정보, 수족, 목 등의 근육이나 관절로부터 오는 위치에 관한 정보 등을 병합하고 자신의 운동 상태나 자세를 정확하게 판단하고 있다.

「어지럽다」는 것은 어떤 상태일까. 인체를 회전시키면 반고리관 속의 림프액에 의해 유모세포가 기울기 시작하고 뇌로 정보를 전달한다. 그리고 인체의 회전이 멈춰도 액체(림프액)는 바로 멈추지 않기 때문에 회전하고 있는 것처럼 느껴진다. 한편, 눈으로 들어온 시각정보로는 회전이 멈춰있다. 이 회전력을 느끼는 반고리관에서의 정보와 눈으로 들어오는 시각정보가 달라서 뇌가 혼란을 일으킨 상태가 「어지럽다」라는 것이다.

피겨스케이트 선수는 몇 번 스핀을 해도 어지러워 하지 않고 멀쩡하게 보인다. 평형감각은 연습에 의해서 어느 정도 회전이나 흔들림에 대해 익숙해 질 수 있다. 아무렇지도 않은 얼굴을 하고 몇 회전이나 스핀을 하는 것은 매일 매일의 훈련의 결과라고 할 수 있을 것이다. 그 때문에 언제나 스핀 하던 방향과 역방향으로 스핀을 하면 제 아무리 피겨스케이트 선수라 할지라도 눈이 핑글핑글 돌 것이다.

그림 1 반고리관의 구조

반고리뼈관 ─ 앞반고리관
　　　　　 외반고리관
　　　　　 뒤반고리관
안뜰신경
림프액
감각모
신경
팽대능선
감각모
이석
타원주머니평형반
신경
이석
신경
감각모
달팽이
둥근주머니평형반

그림 2 평형감각을 느끼는 구조

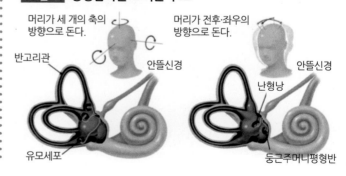

머리가 세 개의 축의 방향으로 돈다.
반고리관
유모세포
안뜰신경
머리가 전후·좌우의 방향으로 돈다.
안뜰신경
난형낭
둥근주머니평형반

용어 반고리뼈관(골삼반규관, semicircular canal), 앞반고리관(전반고리관, anterior semicircular duct),
가쪽반고리관(외반규관, ductus semicircularis lateralis), 뒤반고리관(후반고리관, posterior semicircular duct), 이석(ear crystal = otolith),
감각모(sensitive hair), 팽대능선(팽대부릉, ampullary crest), 둥근주머니평형반(구형낭반, macula of saccule),
타원주머니평형반(난형낭반, macula of utricle), 반고리관(반규관, semicircular duct)

Q9 멀미는 왜 일어나는가? 대처법은 있는 걸까?

A 귀나 눈에서의 정보 양상이 머릿속에 있는 예측양상과
일치하지 않을 때 그 차이에서 멀미가 일어난다.

멀미는 인체의 균형을 취하는 평형기능이 깨짐에 따라 일어난다. 의학적으로는 「동요병」이라 불린다. 평소 상태에서는 사람은 무의식중에 인체의 균형을 유지하기 위해 눈이나 귀로부터 갖가지 정보를 얻고 있다. 그 정보는 평형감각 중추가 있는 소뇌나 뇌줄기에서 처리되어 인체의 균형을 취한다.

예를 들면 한쪽 다리로 선 경우 인체가 흔들려도 쓰러지지 않도록 눈으로부터는 시각정보가 귀의 속귀에 있는 안뜰·반고리관으로부터 기울기나 가속도의 정보가 머릿속으로 들어온다. 그 정보를 기초로 해서 인체가 비틀거리지 않도록 근육을 긴장시켜 자세를 유지하게끔 무의식적으로 조정되고 있다(**그림 1**). 한 번 눈을 감고 한쪽 다리로 서 보라. 몇 초 서있을 수 있는가? 눈으로 오는 정보가 없는 상태에서는 한쪽 다리로 서는 것은 꽤 어려운 일이다.

평소에는 입력정보의 양상이 머릿속에 예측된 어떤 양상과 일치하기 때문에 불쾌한 증상은 일어나지 않는다. 그러나 탈것에 타면 자신의 의지와 관계없이 일어나는 불규칙한 움직임 속에 인체를 맡기게 된다. 이와 같은 상황에서는 눈이나 귀로 오는 정보가 평소와는 전혀 다른 양상으로 들어오기 때문에 예측되는 양상과의 사이에 불일치가 일어난다. 그렇게 되면 그 조정이 쫓아가지 못하고 자율신경이 자극을 받아 현기증, 안색이 파랗게 된다, 구역질 등의 「멀미」 증상이 나타나는 것이다.

그럼, 어떻게 하면 멀미를 방지할 수 있을까. 그러기 위해서는 평형감각을 가능한 한 정상으로 유지하도록 신경을 쓰고 다음에 주의하자.

① 탈것에 타기 전날 밤에는 충분히 수면을 취한다.
② 승차 전의 폭음폭식은 피한다.
③ 승차 전이나 승차 중에 알코올은 마시지 않는다.
④ 편안한 옷을 입는다(인체을 조이는 옷은 입지 않는다).
⑤ 탈것 안에서 책을 읽지 않는다, 게임을 하지 않는다 (시선을 계속 밑으로 향하지 않는다).
⑥ 상대적으로 흔들림이 적은 탈 것의 중앙에 탄다.
⑦ 멀미약(항히스타민제, 부교감신경 차단약)을 복용한다.

멀미약은 기분이 안 좋아진 후에 복용해도 효과는 있지만 보다 효과를 얻기 위해서는 탈것에 타기 30분 전까지는 복용하도록 하자.

그림1 균형을 취하는 구조

가속도가 생기면 움직이기 시작하는 반고리관

급정거 주행중 발차시

끼익~ 덜컹덜컹~

항상 일하고 있는 이석기

상하의 움직임을 감지 좌우의 움직임을 감지 ※ 전항(Q8)의 그림 1을 참조

 용어 이석기관(otolithic apparatus)

Q10 시간이 지나면 「냄새」를 맡을 수 없는 것은 왜 그럴까?

A 같은 냄새를 맡으면 후각에 피로가 생기고 결국 그 냄새를 전혀 맡을 수 없게 된다.

코로 들어온 냄새 분자는 코 속으로 운반되고 후점막에 있는 냄새를 느끼는 센서인 후각세포에 부착된다. 거기에서 보내진 정보는 대뇌 바닥세포의 후각망울에서 대뇌후각야로 보내져서 냄새를 느낄 수가 있다 (그림 1).

그렇지만 같은 냄새가 수 분 동안 지속되면 후각에 피로가 생겨 결국에는 그 냄새를 전혀 맡을 수 없게 된다. 이것을 「냄새의 순응」이나 「선택적 피로」라고 하는데 그 경우라도 다른 냄새는 맡을 수 있다. 인간의 후각은 매우 피로해지기 쉽게 만들어져 있다.

냄새를 맡는 방법에는 이것 이외에도 마스킹, 변조, 냄새 성분의 농도 등 여러 가지 요인이 영향을 준다. 마스킹(masking)이라는 것은 두 종류의 냄새가 있을 때 한쪽 냄새를 강하게 하면 나머지 한쪽의 냄새를 맡지 못하게 되는 것을 말한다. 이것은 화장실이나 실내 등의 방향제로 이용되고 있다. 좋은 향이 나는 물질을 고농도로 하면 불쾌한 냄새는 느끼지 않게 되기 때문이다.

복수의 냄새를 혼합하면 마스킹과 똑같이 강한 냄새는 변화되지만 그것만이 아니고 질적인 변화도 일어난다. 질적인 변화라는 것은 냄새끼리의 혼합에 의해 전혀 다른 냄새로 느껴지거나 냄새의 뉘앙스가 변하는 것을 말한다. 평소에 느끼는 악취도 대부분은 혼합취로 변조된 냄새이다.

이 변조를 이용한 것이 각종 향료인데 향수는 그 대표적인 예이다. 냄새성분의 농도도 냄새를 맡는 중요한 인자이다. 향수와 같이 냄새 농도가 낮을 때는 쾌적하게 느껴지더라도 그 농도가 높아지면 반대로 불쾌하게 느껴지는 경우가 있다. 이와 같이 냄새를 맡는 방법은 여러 가지 요인으로 변화된다.

또 개인차가 매우 강해서 나이나 남녀 차에 따라서도 영향이 크다고 한다. 하루 사이에 변동할 가능성도 시사하는 바 매우 미묘한 것이다.

그림 1 코의 구조

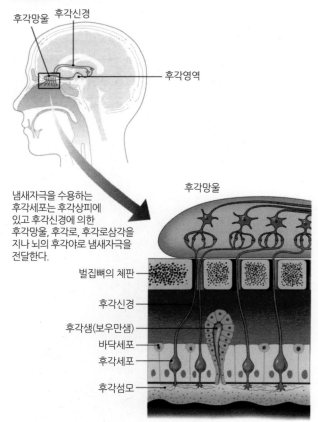

후각망울 후각신경

후각영역

냄새자극을 수용하는 후각세포는 후각상피에 있고 후각신경에 의한 후각망울, 후각로, 후각로삼각을 지나 뇌의 후각야로 냄새자극을 전달한다.

후각망울

벌집뼈의 체판
후각신경
후각샘(보우만샘)
바닥세포
후각세포
후각섬모

 후각망울(후구, olfactory bulb), 후각상피(후상피, olfactory epithelium), 후각로(후삭, olfactory tract), 후각로삼각(후삼각, olfactory trigone), 벌집뼈의 체판(사상판, cribriform plate), 후각샘(보우만샘, olfactory gland; Bowman gland), 바닥세포(기저세포, basal cell), 후각섬모(후소모, olfactory hair)

Q11 코가 막히면 두통을 일으키기 쉬운 것은 왜일까?

A 부비강염(축농증)의 염증은 벌집뼈굴의 점막을 자극하고
거기에 분포되어 있는 삼차신경을 아프게 해서
신경통 같은 심한 두통이 일어난다.

코막힘은 감기 등에 의한 급성비염이나 급성부비강염에서 많이 볼 수 있는 증상이다. 부비강염은 일반적인 말로 축농증이라고 하는데 감기처럼 자주 볼 수 있는 병의 하나이다.

주된 증상은 황녹색을 띤 콧물이나 냄새 나는 콧물, 코막힘, 발열, 오한 등이 있고 두통도 중요한 증상이다. 부비강염의 두통의 특징은 잠에서 깨었을 때부터 통증이 강하다, 인체을 앞으로 수그리면 통증이 더해져서 지끈 지끈 하고 아프다, 이마부분에 통증이 많이 일어난다, 등을 들 수 있다.

코는 외비·코 안·코곁굴의 세 부분으로 되어 있는데 일반적으로 「코」라고 하면 얼굴 앞으로 튀어나온 부분(외비)을 가리켜 부른다. 그것은 코의 극히 일부일 뿐이고 실제 「코」의 구조는 아주 복잡해서 안면의 약 1/3을 차지하는 갖가지 공동으로 만들어졌다. 이들 공동을 코곁굴이라고 하고 코 안을 둘러싸듯이 좌우대칭으로

벌집뼈굴, 이마뼈굴, 위턱뼈굴, 나비뼈굴의 4 종류가 있다(**그림 1**). 이들 공동은 뼈의 형태를 유지하면서 얼굴 전체 뼈의 중량을 가볍게 하는 데도 유용하다. 이와 같은 뼈를 특히 공기를 포함했다는 의미에서 함기골이라고 부른다. 목소리는 이 공동에 의해 반향되고 있기 때문에 코곁굴에 콧물이 차면 비성이 되는 것이다.

코곁굴이 세균에 감염되면 점막에 염증이 일어난다. 감기에 의한 것이 많지만 충치나 외상으로부터의 감염이 원인인 경우도 있다. 코곁굴은 점막이 하나로 연결되어 있기 때문에 염증이 퍼지기 쉽다. 염증이 벌집뼈굴의 점막을 자극하고 거기에 분포되어 있는 삼차신경을 아프게 함에 따라 신경통 같은 심한 두통이 일어난다.

꽃가루알레르기에서도 코막힘과 두통을 동시에 발증하는 사람이 있다. 그것은 코가 막히면 입으로 호흡을 하기 때문에 산소를 평소보다 조금밖에 취할 수 없다. 그래서 뇌의 산소부족 상태가 되는 것이 원인이다. 뇌에 충분한 산소가 가지 않으면 머리가 무겁게 느껴지거나 두통이 일어나고 인체가 나른해진다.

그림1 코곁굴의 구조

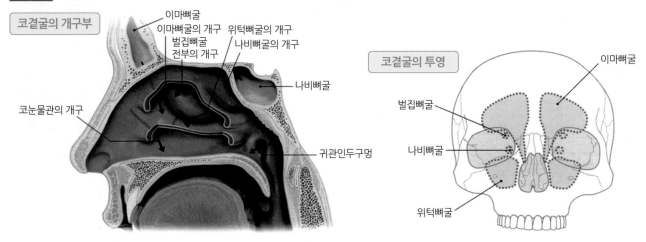

코곁굴의 개구부

이마뼈굴
이마뼈굴의 개구
벌집뼈굴 전부의 개구
위턱뼈굴의 개구
나비뼈굴의 개구
나비뼈굴
코눈물관의 개구
귀관인두구멍

코곁굴의 투영

이마뼈굴
벌집뼈굴
나비뼈굴
위턱뼈굴

용어 코곁굴(부비강, paranasal sinuses), 이마뼈굴(전두동, frontal sinus), 위턱뼈굴(상악동, maxillary sinus), 벌집뼈굴(사골동, ethmoidal sinus), 나비뼈굴(접형골동, sphenoidal sinus), 코눈물관(비루관, nasolacrimal duct), 귀관인두구멍(이관인두구, pharyngeal opening of auditory tube)

Q12 냄새를 맡을 때 킁킁 하는 것은 왜 그럴까?

A 냄새 분자를 비강의 제일 안에 있는 후부까지 강제적으로 보내기 위해 공기를 들이 마실 때 킁킁 하는 것으로 위세를 가하는 것이다.

코 안의 공동을 비강이라고 한다. 비강은 비갑개에 의해 상·중·하 세 개의 비도로 나뉘어진다(3층 건물). 또, 중앙부에는 비중격이 있어서 비강은 좌우로 나뉘어진다(**그림 1**).

코로 들이 마신 공기는 그 흐름의 기세로 비강의 천정에 부딪친다. 냄새분자(휘발성 화학 물질)는 이 공기의 흐름과 함께 비강의 상부에 있는 좁은 부위(후부)인 후점막에 도달한다. 이 후점막 상피에는 냄새의 센서인 후각세포가 있는데 그것에 접촉해서 냄새를 맡는다. 후부는 비강의 제일 상부에 있는 최상비도에 있어서 여기까지 냄새분자를 운반하지 않으면 냄새를 맡을 수 없다. 싫은 냄새가 날 때는 코를 쥐면 냄새분자가 비강 내에 들어가지 않기 때문에 아무 냄새도 맡지 않게 된다.

사람은 항상 숨을 쉬기 때문에 자연스럽게 맛있는 냄새를 맡을 수 있다. 그래서 「이 냄새는 뭐지?」하고 확인하기 위해 코를 킁킁거림으로써 들이마신 공기에 교란을 일으키고 강제적으로 냄새분자를 후부까지 들여보낸다. 그것이 후각세포를 자극하여 냄새를 맡을 수 있는 것이다.

후각세포는 감각신경세포가 특수화된 것으로 후각섬모라는 가는 돌기를 갖고 있다. 공기 중의 냄새분자는 후선에서 분비되는 점액에 녹아 후각세포를 자극한다. 후각세포는 후각신경을 거쳐 냄새의 정보를 대뇌둘레계통의 후각야로 전달한다. 자극을 다 준 냄새 물질은 후선에서 분비되는 점액에 의해 바로 씻겨 나가기 때문에 후각상피는 새로운 냄새에 대응할 수 있게 된다.

호흡에 의해서 토해낸 숨은 목의 출구에서 나비뼈굴 밑에 부딪쳐서 방향을 바꾸기 때문에 대부분이 중비도와 하비도를 통해 코에서 밖으로 나간다. 따라서 자신이 토해낸 숨의 냄새는 맡기 어려운 것이다.

그림 1 비강의 구조

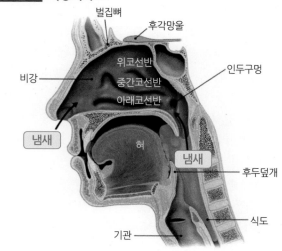

Column

비강의 작용

비강에는 냄새를 맡는 작용 외에도 중요한 작용이 있다. 그것은 들이마신 공기의 먼지나 세균 등을 코털이나 점막을 사용해 제거하는 필터의 역할이다. 또, 차갑고 건조한 공기를 따뜻하게 하거나 습기를 주는 라디에이터 역할도 하고 있다. 세균이나 바이러스는 건조한 상태에서 강하고 습기가 있는 상태에서는 약하기 때문에 체내에 그들을 넣지 않으려는 중요한 작용을 하고 있다.

용어 비강(코 안, nasal cavity), 위코선반(상비갑개, superior nasal concha), 중간코선반(중비갑개, middle nasal concha), 아래코선반(하비갑개, inferior nasal concha), 후두덮개(후두개, epiglottis)

Q13 수박에 소금을 넣으면 왜 단맛이 증가하는 걸까?

A 미각이 전달되는 시간이 단맛과 짠맛에서는 다르다.
짠맛이 먼저 전달되기 때문에 나중에 전달된 단맛이 보다
한층 달게 느껴지는 것이다.

미각은 각각의 맛에 대한 감도(미뢰센서의 반응)만 다른 것이 아니고 미뢰에서 뇌로 정보를 전달하는 전달속도도 다르다. 쓴맛이나 짠맛, 신맛은 빨라서 0.6초 정도면 뇌로 전달되지만 감칠맛은 0.9초, 단맛은 1.0초, 고춧가루 등의 매운맛에 이르러서는 1.5초나 걸린다.

이 미각의 종류에 따라 「시간차」가 있기 때문에 수박에 소금을 넣어 먹으면 짠맛을 느낀 후에 설탕의 단맛을 느끼게 된다. 따라서 단맛이 강조되어 훨씬 달게 느끼는 것이다.

이것은 「맛의 대비효과」라고 하는데 단맛과 짠맛만이 아니고 감칠맛과 짠맛(다시 국물에 소금), 쓴맛과 신맛(청주와 식초) 등에서도 같은 효과가 있다. 또, 미각 중에서 쓴맛과 신맛의 전달속도가 빠른 이유는 식재에 포함된 독물이나 부패를 뇌가 재빨리 감지해낸다는 방어기능이 작용하기 때문이다.

미각을 전하는 신경으로서 혀 앞 2/3 부분에는 안면신경의 가지인 고실끈신경이, 혀 뒤 1/3 부분에는 혀인두신경이 분포되어 있다. 미뢰에서 오는 자극은 이들 뇌신경을 거쳐 뇌의 대뇌둘레계통과 시상하부로 전달된다. 또 시상으로 전달된 자극은 대뇌두정엽에 있는 미각야로 전달되고 거기에서 「맛」이라는 것을 의식하게 된다(그림 1).

미각의 신경섬유가 시상하부와 대뇌둘레계통으로 이어지기 때문에 미각과 정동(情動)의 쾌/불쾌와의 사이에는 강한 상관관계가 있다. 단 것을 먹으면 쾌의 반응(행복한 기분)을 보이고 쓴맛에는 불쾌한 표정을 보이는 것에서도 잘 알 수 있다. 이 현상이 미각혐오의 기초가 되었다. 미각혐오란 과거에 소화기계의 상태를 나쁘게 한 음식물은 그것을 피하려고 하는 학습이 금방 생기는 능력을 말한다. 굴을 먹고 한 번 배앓이를 했던 사람이 두 번 다시 굴을 먹지 않는다는 것이 미각혐오이다.

그림1 미각전도로

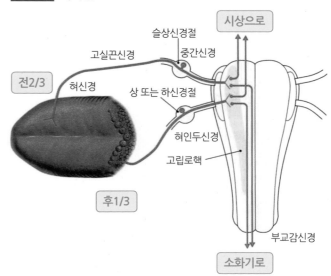

中野昭一 편저: 도해생리학. 제2판, 의학서원, 도쿄, 2000.에서 인용.

 슬상신경절(geniculate ganglion), 고실끈신경(고삭신경, chorda tympani nerve), 혀신경(설신경, lingual nerve),
혀인두신경(설인신경, glossopharyngeal nerve), 고립로핵(고속핵, nucleus of solitary tract)

120 간호대학생을 위한 쉬운 일러스트 해부생리학 ❶

Q14 왜 파인애플을 너무 먹으면 혀가 아픈 걸까?

A 파인애플에 함유된 단백질을 녹이는 효소가 입 안을 소화시켜서 얼얼하니 아프게 느껴진다.

파인애플에는 브로멜린(bromelin)이라는 단백질 분해효소가 다량 함유되어 있다. 브로멜린은 강력한 소화효소로 혀가 거칠어 있거나 하면 거기에 효소가 작용을 해서 그 부분의 단백질을 녹이기 때문에 입 안이 얼얼해져 아프게 되는 경우가 있다. 파인애플을 많이 먹는 것은 주의하도록 하자.

이 브로멜린을 잘 이용할 수도 있다. 브로멜린에는 고기를 부드럽게 해서 소화를 돕는 작용이 있기 때문에 고기요리와 함께 파인애플을 먹으면 소화불량을 예방한다.

탕수육 안에 왜 파인애플이 들어가 있을까. 파인애플은 고기의 소화를 도와주는 것만이 아니고 탕수육만의 독특한 신맛, 단맛을 더욱 증폭시켜 준다. 또, 식욕을 증진시키는 작용이 있는 구연산이나 사과산 등이 함유되어 있기 때문에 느끼한 탕수육을 많이 먹게 되는 효과도 있다.

또, 파인애플에는 식물성섬유가 다량 함유되어 있기 때문에 변통을 촉진시키고 콜레스테롤이나 인체의 독소를 배출하는 작용이 있어서 대장암이나 동맥경화 등의 예방과 연결된다. 또, 위나 장 속에서 수분을 흡수해서 부풀어 올라 포만감을 주기 때문에 과식을 방지하고 다이어트에도 효과가 있다고 알려져 있다.

그 밖에도 파인애플은 비타민 A, B₁, B₂, C나 칼륨, 철 등의 미네랄 등도 함유하고 있다. 비타민 B군은 당질대사를 돕는 작용이 있어서 피로회복에 효과가 있다. 비타민 C는 항산화작용을 갖고 있어서 노화방지 작용이 있다(**표 1**). 칼륨은 이뇨작용을 갖고 있고 고혈압예방에도 유효하다.

앞서 말한 브로멜린의 작용으로는 상처나 염좌, 관절염 등 염증의 부종이나 통증을 억제하는 항염증효과를 비롯해, 궤양성대장염의 개선, 장내의 노폐물을 분해하여 설사나 소화불량, 가스발생 등 소화기계의 장해개선, 항종양효과, 사이토카인이나 면역조절 효과, 피부의 사멸조직제거, 의약품의 흡수촉진 효과 등 여러 작용이 보고되어 있다. 게다가 브로멜린에는 부작용이 거의 없기 때문에 저가의 치료약으로써 장래 기대할 수 있을 지도 모른다.

표 1	비타민의 작용		
명칭	**작용**	**결핍증**	**과잉증**
비타민 A	피부점막의 건강유지. 성장 촉진. 약간 어두운 곳에서 시력 유지.	야맹증, 피부염	두통, 현기증, 오심
비타민 B₁	당질분해 시 보조효소 성분, 신경 작용을 정상화	각기, 뇌장해	
비타민 B₂	지방 등 에너지 변환의 보조효소	구각염, 구순염, 설염	
비타민 B₆	아미노산의 합성 분해에 필요한 보조 효소, 신경전달물질 GABA의 합성	불명	
비타민 B₁₂	DNA의 주성분인 핵산의 합성	악성빈혈, 소화기 증상, 신경장해	
비타민 C	콜라겐의 합성, 부신호르몬의 합성, 항산화작용	괴혈병	불명
비타민 D	칼슘의 대사조절	구루병, 골연화증	칼슘의 장기침착
비타민 E	항산화작용	용혈성빈혈, 불임증, 생활습관병	
비타민 K	혈액응고인자의 합성, 칼슘의 대사	신생아출혈증, 결핍은 드묾	구토, 호흡곤란, 혈압저하, 빈혈

memo

Q15 편두통은 왜 일어날까?
두통은 원래 머릿속 어딘가가 아픈 것인가?

A 뇌내의 혈관이 확장되어 주위의 신경을 자극하므로 두통이 일어난다.
근육 내 피로물질이 뇌신경을 자극해도 일어난다.

두통은 편두통(혈관성두통), 근긴장성두통, 그 밖의 원인에 의한 두통 3종류로 나뉜다(**표 1**).

머리에 욱신욱신하는 통증이 있는 만성두통의 대표가 「편두통」이라고 할 수 있다. 원인으로 생각되는 설로 두개골내외의 혈관이 비정상적으로 확장됨에 따라 두통이 일어난다고 생각하는 「혈관설」이나, 뇌신경 중에서 최대인 두부, 안면, 입, 코, 각막 등의 감각을 관장하는 삼차신경이 관여되어 있다는 「삼차신경혈관설」 등이 있다.

목이나 어깨의 근육이 지속적으로 긴장을 해서 「뻐근한 상태」가 되면 머리가 조이는 듯한 느낌이 들거나 답답해지거나 한다. 이것이 「근긴장성두통」이다. 그 발병 기제에는 신체적 정신적 스트레스나 근육의 긴장 등이 복잡하게 얽혀있다고 생각된다. 신체적 스트레스로써는 「무리한 자세」「맞지 않는 베개」「눈의 혹사」 등을 들 수 있다. 예를 들면 하루 종일 컴퓨터 앞에 앉아 작업을 하는 케이스에서는 서서히 어깨나 목, 후두부의 근육이 경직되어 근육내의 혈행이 나빠진다. 그 결과 근육 안에 유산 등의 피로물질이 쌓이고 이것이 신경을 자극하여 두통을 일으킨다고 생각할 수 있다(**그림 1**).

또, 걱정이나 불안 등의 정신적 스트레스는 근육의 긴장이 없어도 두통을 일으킬 수 있다. 신경의 긴장이 매일같이 지속되면 뇌에 준비되어 있는 「통증조절기능」이 제대로 일을 하지 않거나 두통이 생겨 버린다.

꼼꼼하고 성실한 사람이나 고지식한 성격의 사람은 마음의 긴장을 잘 해소하지 못해서 근긴장성두통이 되기 쉽다고 한다. 또, 목덜미가 가는 사람도 머리의 무게를 근육이 버티지 못해 두통이 생기기 쉬운 모양이다.

두통은 지주막하출혈, 해리성뇌동맥류 · 추골동맥류, 뇌염 등 뇌나 눈의 중대한 기질적 질환에 의해서도 일어나기 때문에 너무 두통이 심한 것 같으면 빨리 병원에서 검사를 받아야 한다.

그림1 두통의 종류

편두통

뇌혈관의 일부에 경련이 일어나 혈액의 흐름이 나빠진다.
그 후 혈관이 확장될 때 그 반동으로 통증이 일어난다.

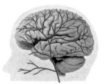
혈관이 수축

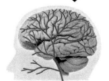
혈관이 확장

근긴장성두통

머리나 목의 근육의 이상긴장에서 오는 두통

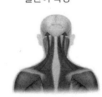

표1 두통의 종류와 원인

두통의 종류	원인	질환
편두통	머릿속 혈관 확장에 의한 두통	편두통
근긴장성두통	근육이나 정신의 긴장에 의한 두통	어깨결림을 동반하는 두통
그 밖의 원인에 의한 두통	뇌의 병을 동반하는 두통	지주막하출혈, 뇌종양 등

memo

Q16 새끼발가락을 물체의 모퉁이에 부딪치면 굉장히 아픈 것은 왜일까?

A 발을 물체의 모퉁이에 부딪쳤을 때의 충격은 수 십 kg이 되는데 그것이 새끼발가락 일부라고 하는 극히 작은 면적에 집중되기 때문이다. 또, 새끼발가락에는 지방이나 근육이 적고 신경이 표면과 가깝기 때문에 통증을 느끼기 쉬운 것이다.

안을 맨발로 다니다가 기둥이나 문, 장식장의 모퉁이에 새끼발가락을 부딪쳐 아파했던 경험이 있을 것이다. 새끼발가락 끝만을 부딪쳤을 뿐인데 굉장히 아프다. 손이나 체간 등 몸의 다른 부위를 부딪쳤을 때와 비교해도 상당한 통증을 느낀다.

새끼발가락을 부딪칠 때가 많은 이유는 발의 위치파악을 뇌가 정확히 할 수 없기 때문이라고 생각할 수 있다. 사람이 발을 내밀 때 자신이 생각하는 것보다 1.5cm 정도 벗어나 발을 내밀기 때문에 새끼발가락을 부딪치는 것이다. 발밑을 보지 않고 바닥에 그어진 선 위로 똑바로 발을 올려놓고 걷게하면 많은 사람이 선에서 새끼발가락 분량만큼 벗어난다고 한다. 이와 같이 정밀할 것처럼 생긴 뇌에는 자신의 몸의 위치를 정확히 특정 지을 수 없는「적당함」도 있는 것이다. 이것은 고유감각이라는 무의식하에서의 체성감각으로, 사람은 자신의 몸을 왠지 모르게 의식하고 있지만 그것은 반드시 정확한 건 아니라는 것이다. 많은 사람이 엄지발가락의 위치를 인식할 수 있어도 새끼발가락의 위치는 인식하지 못한다. 사람의 뇌는 몸 안쪽의 공간인식은 잘 하지만 바깥쪽의 공간인식이 힘든 모양이다.

또, 통증이 큰 이유를 말하자면 발을 물체의 모퉁이에 부딪쳤을 때의 충격은 수 십kg에 해당되기 때문에

축구공을 찰 때의 충격보다 크다. 그것이 새끼발가락의 일부라는 극히 작은 면적에 집중되기 때문에 발 전체를 부딪쳤을 때보다도 충격이 커진다. 새끼발가락 골절을 입는 사람이 있는 것도 이상한 일은 아니다. 게다가 차려고 해서 차는 것과는 달리「불시에 당한」상황이기 때문에 더한 통증을 느끼게 된다. 또, 새끼발가락에는 지방이나 근육이 적어서 신경이 표면과 가깝기 때문에 통증을 느끼기 쉽다.

memo

INDEX

색인